背五篇演講稿，擊敗「啞巴英語」！

　　全世界都在研究，如何開口
說英文，「英文演講一字金」絕
對是最簡單的方法。一個字一句
話，在最短的時間內，增加最多
單字，增加最多知識。

　　傳統的英文演講稿句子長，不容易背，不管背幾篇都沒用，因為背了會忘記，背到後面，忘了前面，腦筋最多只能保存一篇，而且每一篇單字量太少。用閱讀學單字，每篇文章也是單字量太少，重要單字重複率太低，不管如何努力，英文永遠單字不夠。

「英文演講一字金」第一篇是How to Succeed（如何成功），分成四段，第一段是You must have a goal. 第二段是Attend. Attend. Attend. 這種讓人成功的演講，誰不願意背？誰不願意講？大多是一字一句，背起來非常簡單。

Once you recite, you will feel the difference!

第二篇是How to Be Popular（如何受人歡迎），你會越背越想背。要讓別人喜歡，第一點是Generous. Generous. Generous. 第二點是Active. Active. Active. 第三點是Compliment. Compliment. Compliment. 第四點是Forgive. Forgive. Forgive. 背完之後，心中立刻沒有仇恨，變得平靜。你慷慨，誰不喜歡？你活躍、積極、蹦蹦跳跳，誰不喜歡？每一句話都價值一個金塊。我受到「英文演講一字金」的影響，改變了原來的個性，天天都有人找我，家庭幸福，事業順利。

劉毅

Advance. *Advance*. *Advance*.
進步最讓人興奮。

　　英文唯有使用，才不容易忘記。使用的最高境界，就是演講。我曾經背過 40 多篇英文演講，背到後面，前面忘記。「學了又忘」是學習的最大障礙，背了不忘，才能放在長期記憶中。短句、短句最重要，句子短，才背得下來。要背一些有形的東西，如 detox foods（排毒的食物）中，有 artichoke（朝鮮薊），在中餐裡面不普遍，所以就要刪除。任何中文或英文，一般人看不懂，就是學習的絆腳石。例如，止咳化痰的「痰」，在字典上是 phlegm〔flɛm〕，但是美國人現在多用 mucus，為求正確無誤，還特別問了台大醫院王主科教授。如果我們背一些中國人都沒看過的，你當然記不得。

　　「英文一字金⑥激勵演講經」是由「英文一字金①～⑤」改編而成，這五本是按字母序排列，讓你快速增加字彙。第 6 本最重要，你背完之後，不僅會用英文演講，平時和別人說話也用得到，聽者跟你在一起，能夠得到知識，並且認為你是很有學問的人。如吃飯時，你可跟別人說：No alcohol. Animal organs. Artificial sweeteners. Barbecue or fat. Fried foods or MSG. Instant noodles or pickled products. 這些都是 **toxic foods**（有毒的食物）。除了告訴別人以外，也時時警惕自己，不要吃了毒素還不知道。

　　什麼是「經」？「經」就是經常要唸，能夠修身養性。「英文一字金」這套書，將改變人類學英文的方法。從前大家是用「閱讀」來學英文，高中生一學期讀 12 篇文章，這些文章

並不是你自己想要讀的，讀起來不舒服。其實讀 100 篇文章也沒用，曾經看過大陸家長，逼小孩讀了 100 本英文書，結果小孩還是沒辦法開口說英文。學英文應該先從「說」開始，天天說、不停地說，說自己背過的句子，說起來才有信心。說好的英文令人愉快，自己每天練習、進步，又讓人羨慕。

這本書的完成，要感謝太多人，要有團隊的力量，才能成功。美籍老師 Edward McGuire 說的話，他自己也沒有把握是對還錯，所以我們編輯後，送至美國，請權威教授 Laura E. Stewart 校對再校對，改了又改。感謝謝靜芳老師，好像對改稿永不厭倦，感謝她和蔡琇瑩老師在我身邊已經工作快 30 年。也要感謝美編白雪嬌小姐，也工作 20 多年，以及打字排版專家黃淑貞小姐，已經工作 40 多年了，排版可不簡單，每一頁都要漂亮，而且吸引人。

從前學英文，無論怎麼努力都沒用，前途茫茫，永遠沒有學好的一天。現在，只要背就會說；只要背，英文就越來越好。內人小芝從英文一句話都不會說，背了「英文一字金」後，立刻著迷，現在碰到外國人，都能侃侃而談，個性也變好了，有禮貌、慷慨，溫柔體貼。如果有錢，請一位美籍老師一對一教，每天一小時，進步得更快。美籍老師也會進步，因為他的單字和知識增加，他會非常喜歡教。這本書最大的受益者是英文老師，越教越快樂，每天都有學生陪你背書，讓你不斷向前進，身體和心理都得到了養分。進步會讓人向前看，進步讓人興奮，每天有收穫，心情好，身體變得越來越健康。

劉毅

C**O**NTENTS

1 How to Succeed

2 How to Be Popular

3 Good Advice: What Not to Do

1. *How to Succeed*
如何成功

【開場白】

慣用 〈　Ladies. 女士們。
字首是 G 〈　Gentlemen. 先生們。
　　　　Greetings. 大家好。

succeed 的
詞類變化
　　　　Want to succeed?
　　　　想要成功嗎？
　　　　Achieve success?
　　　　想要獲得成功嗎？
　　　　Be successful?
　　　　想要成功嗎？

來自諺語：
Health is better
than wealth.
健康勝於財富。

Healthy? 想要健康嗎？
Wealthy? 想要發財嗎？
Prosperous?
想要飛黃騰達嗎？

How to Succeed 開場白【背景説明】

　　美國人演講最常用的開場白是：***Ladies and gentlemen.***（各位先生，各位女士。）也可分開説成：***Ladies.***（女士們。）***Gentlemen.***（先生們。）如果全部是女士，就只説 ***Ladies.*** 如果全部是男士，就説：***Gentlemen.*** 如果現場還有小孩，就可加上：***Boys and girls.***（各位小朋友。）不能説：***Girls and boys.***（誤）也常説：Hello, everybody.（哈囉，大家好。）Good day, everybody.（大家好。）【***good day*** 日安】***Greetings.***（大家好。）可加強語氣，説成：***Greetings, everybody.***（大家好。）【greetings〔ˋgritɪŋz〕*n. pl.* 大家好】或 ***Greetings and welcome.***（大家好，歡迎大家。）

　　Want to succeed?（想要成功嗎？）源自 Do you ***want to succeed***?（你想要成功嗎？）***Achieve success?***（想要獲得成功嗎？）源自 Do you want to ***achieve success***?（你想要獲得成功嗎？）【achieve〔əˋtʃiv〕*v.* 達成；獲得】***Be successful?***（想要成功嗎？）源自 Do you want to ***be successful***?（你想要成功嗎？）(= *Do you want to be a successful person?* 你想要做一個成功的人嗎？）短短三句話就會使用 *succeed*，*success*，和 *successful*。

　　Healthy?（想要健康嗎？）源自 Do you want to be ***healthy***?（你想要健康嗎？）***Wealthy?***（想要發財嗎？）源自 Do you want to be ***wealthy***?（你想要發財嗎？）【wealthy〔ˋwɛlθɪ〕*adj.* 有錢的】***Prosperous?***（想要飛黃騰達嗎？）源自 Do you want to be ***prosperous***?（你想要飛黃騰達嗎？）(= *Do you want to be wealthy and successful?*）【prosperous〔ˋprɑspərəs〕*adj.* 繁榮的；成功的】「激勵演講經」重點在單字快速增加，在最短的時間内，講最多内容，自己高興，聽眾也高興。

1. You must have a goal.

你必須有一個目標。

同義字	*Determine a goal.*	要決定一個目標。
	Target.	一個標靶。
	Purpose.	一個目的。

兩短一長	Aim.	一個目標。
	Plan.	一個計畫。
	Objective.	一個目標。

	Intention.	字尾都是 tion	企圖心。
	Ambition.		抱負。
	Destination.		目的。

**

determine [3] 〔 dɪˈtɜmɪn 〕 v. 決定　　goal [2] 〔 gol 〕 n. 目標
target [2] 〔ˈtɑrgɪt 〕 n. 標靶；目標
purpose [1] 〔ˈpɝpəs 〕 n. 目的；目標　　aim [2] 〔 em 〕 n. 目標；目的
objective [4] 〔 əbˈdʒɛktɪv 〕 n. 目標；目的
intention [4] 〔 ɪnˈtɛnʃən 〕 n. 意圖；目的
ambition [3] 〔 æmˈbɪʃən 〕 n. 抱負；雄心；野心；目標
destination [5] 〔ˌdɛstəˈneʃən 〕 n. 目的地；目的

destination

1. How to Succeed

	都有 clear	*It must be clear.*	目標一定要明確。
		Clear-cut.	很清楚。
		Crystal clear.	非常清楚。

字首都是 D	Defined.	要確定。
	Definite.	很明確。
	Distinct.	明明白白。

字首都是 S	Specific.	很特定。
	Straightforward.	很清楚。
	Simple and plain.	簡單明白。

**

clear[1] (klɪr) *adj.* 清楚的；明白的；明確的
clear-cut (ˌklɪrˈkʌt) *adj.* 清楚的；明白的
crystal[5] (ˈkrɪstḷ) *n.* 水晶　*adj.* 清澈透明的
crystal clear 非常清楚的；一清二楚
defined[3] (dɪˈfaɪnd) *adj.* 確立的；清楚的
definite[4] (ˈdɛfənɪt) *adj.* 明確的
distinct[4] (dɪˈstɪŋkt) *adj.* 明白的；清楚的；明確的
specific[3] (spɪˈsɪfɪk) *adj.* 明確的；清楚的；特定的
straightforward[5] (ˌstretˈfɔrwəd) *adj.* 直接的；清楚的
simple[1] (ˈsɪmpḷ) *adj.* 簡單的　　plain[2] (plen) *adj.* 明白的

specific

詞類變化	*It must be your passion*.	它必須是你的愛好。
	You must be passionate.	你必須很熱情。
	Zealous.	要很狂熱。

字首都是E	Eager.	要渴望。
	Earnest.	要認眞。
	Enthusiastic.	要熱心。

幽默	Do what you cherish.	要做你喜愛的事。
	Cherish what you do.	要愛你所做的事。
	A fortune will follow.	大錢會自己來。

1. How to Succeed

** ————————————

passion[3] (ˈpæʃən) *n.* 熱情；愛好

passionate[5] (ˈpæʃənɪt) *adj.* 熱情的

zealous[6] (ˈzɛləs) *adj.* 熱心的；狂熱的

eager[3] (ˈigɚ) *adj.* 渴望的　　earnest[4] (ˈɝnɪst) *adj.* 認眞的

enthusiastic[4] (ɪnˌθjuzɪˈæstɪk) *adj.* 熱心的

cherish[4] (ˈtʃɛrɪʃ) *v.* 珍惜；珍愛

fortune[3] (ˈfɔrtʃən) *n.* 財富

follow[1] (ˈfɑlo) *v.* 隨之而來

fortune

1-1【背景説明】

成功的人一定要有一個目標，你可以説：*We* must have a goal.（我們必須有一個目標。）或 *You* must have a goal.（你必須有一個目標。）可簡化成：*Have a goal*.（要有一個目標。）*Decide on a goal*.（要選定一個目標。）可加強語氣説成：*Determine a goal*.（要決定一個目標。）而 *target*、*purpose* 都是 goal（目標）的同義字。target 的主要意思是「標靶」，purpose 的主要意思是「目的」。

aim 可當動詞，作「瞄準」解，當名詞是「目標；目的」。*plan* 是「計劃；規劃」。*objective* 當名詞時，是「目標；目的」，當形容詞，是「客觀的」。*object* 也可作「目的；目標」解，但它還有「物體」的意思，所以如果説：We must have an object. 就可能被誤會成：「我們必須有個東西。」所以在此就不能用。

intention 作「意圖；目的」解。*ambition* 有「抱負；雄心；野心；目標」的意思。*destination* 主要的意思是「目的地」，在此作「目的」解。

這九個字：*goal－target－purpose*，*aim－plan－objective*，*intention－ambition－destination* 都是同義字，背至 5 秒鐘後，就終生不會忘記。

1-2【背景說明】

有了目標以後，這個目標一定要明確，不能東一個、西一個。當英文老師，就專心當英文老師，不要再做股票分析師或數學老師，才能成為名師。*clear – clear-cut – crystal clear* 由短到長。*crystal clear* 重音在 clear 上，crystal 是「水晶」，*crystal clear* 表示「非常清楚」。這三個都是 c 開頭，很容易背，唸一遍便記得了。用同義字，一個字一個字加強語氣，演講時說起來強而有力。背得越熟，你的演講就越精彩。

crystal

defined 已經變成純粹的形容詞，它的原形動詞是 define「給…下定義」。*defined* 的字面意思是「被下定義的」，表示「確立的；清楚的」。*Defined. – Definite. – Distinct.* 都是 D 開頭，很好背，別人聽起來也舒服。

specific 的主要意思是「特定的」，也可作「明確的；清楚的」解。*straightforward* 的主要意思是「直率的；直接的」，也作「清楚的」解。*Simple and plain.* 也可說成：Plain and simple. 意思是「要簡單明白。」三個都是 S 開頭，由短到長，很容易背。

我的目標很明確（clear），就是要拯救那些每天想學英文，而永遠學不好的人。有了「英文一字金」，只要背，英文就有學好的一天。

1. How to Succeed

1-3【背景説明】

選擇的目標一定要是你的最愛。 美國人常説：Do
what you love. Love what you do. Big money will
follow you. Don't just work for money. Money should
come from your passion. Passion. Passion. Passion.
（做你愛做的事。愛你所做的事。大錢自然來。不要只是爲
了賺錢而工作。錢應該來自你的愛好。不要忘了：愛好、愛
好，愛好最重要。）*passion* 的形容詞是 *passionate*（熱情
的）。*zealous*（熱心的；狂熱的）這個字美國人較少用，有
人還不會，名詞是 zeal〔zil〕*n.* 熱心；熱忱。

Eager. – Earnest. – Enthusiastic. 都是 E 開頭。
演講時，你可以加強語氣，對群眾喊：*Be eager.*（要渴望。）
Be earnest.（要認眞。）*Be enthusiastic.*（要熱心。）簡
短有力，叫大家跟你一起喊，會引起高潮。

cherish（珍惜；珍愛）這個單字就相當於 love。*Do
what you cherish.*（要做你喜愛的事。）*Cherish what you
do.*（要愛你所做的事。）*A fortune will follow.*（大錢會自
己來。）（ = *A fortune will follow you.* = *Big money will
follow you.*）

2. *Attend*. *Attend*. *Attend*.
參加、參加、參加。

同義句	*Attend*.	要參加。
	Join.	要加入。
	Participate.	要參與。

同義句	Engage.	要參與。
	Get involved.	要參與。
	Get information.	要得到資訊。

同義句	Adjust.	要調整。
	Change.	要改變。
	Modify.	要修正。

** ——————————————

attend[2] 〔 ə'tɛnd 〕 v. 參加　　join[1] 〔 dʒɔɪn 〕 v. 加入
participate[3] 〔 par'tɪsə,pet 〕 v. 參加
engage[3] 〔 ɪn'gedʒ 〕 v. 參與
involve[4] 〔 ɪn'vɑlv 〕 v. 使參與
information[4] 〔 ,ɪnfɚ'meʃən 〕 n. 資訊
adjust[4] 〔 ə'dʒʌst 〕 v. 調整　　change[2] 〔 tʃendʒ 〕 v. 改變
modify[5] 〔'mɑdə,faɪ 〕 v. 修正

| 字首都是
In | **Invent.**
Initiate.
Innovate. | 字尾是
ate | 要發明新東西。
要率先開始。
要創新。 |

| 都有
g | Imagine.
Generate.
Create. | 字尾是
ate | 要會想像。
要有生產力。
要創造。 |

| 字首都是
De | Design.
Devise.
Develop. | 同義句 | 要設計。
要設計。
要發展。 |

**

invent² 〔 ɪnˈvɛnt 〕 v. 發明

initiate⁵ 〔 ɪˈnɪʃɪˌet 〕 v. 創始;發起

innovate⁶ 〔ˈɪnəˌvet 〕 v. 創新

imagine² 〔 ɪˈmædʒɪn 〕 v. 想像

generate⁶ 〔ˈdʒɛnəˌret 〕 v. 產生

invent

create² 〔 krɪˈet 〕 v. 創造　　design² 〔 dɪˈzaɪn 〕 v. 設計

devise⁴ 〔 dɪˈvaɪz 〕 v. 設計

develop² 〔 dɪˈvɛləp 〕 v. 發展;研發

1. How to Succeed

	Master.	要精通。
字首是 Exce	Excel.	要精通。
	Exceed.	要超越別人。

字首都是 s	Surpass.		要超越。
	Be skilled.	同義句	要有專業技術。
	Skillful.		要很熟練。

字首是 Prof	Proficient.	要精通。
	Professional.	要專業。
	An expert.	要成為專家。

**　　　**

** ————————————

master[1] (ˈmæstɚ) *v.* 精通
excel[5] (ɪkˈsɛl) *v.* 突出;非常擅長;勝過他人
exceed[5] (ɪkˈsid) *v.* 超過;勝過
surpass[6] (sɚˈpæs) *v.* 超越
skilled[2] (skɪld) *adj.* 熟練的;有技能的
skillful[2] (ˈskɪlfəl) *adj.* 有技術的;熟練的
proficient[6] (prəˈfɪʃənt) *adj.* 精通的
professional[4] (prəˈfɛʃənḷ) *adj.* 專業的
expert[2] (ˈɛkspɝt) *n.* 專家

skilled

2-1【背景説明】

　　想要成功，就要參加各種活動。*Attend.*（要參加。）可加長爲：You should ***attend*** events.（你應該參加活動。）You must ***attend*** meetings.（你必須參加會議。）***Attend*** activities to learn new things.（要參加活動學習新的事物。）*Join.*（要加入。）***Join*** groups.（要加入團體。）***Join*** clubs.（要參加社團。）***Join*** organizations.（要參加組織。）*Participate.*（要參與。）（= *Take part.*）***Participate*** in community activities.（要參加社區活動。）

　　Engage.（要參加。）也可説成：***Engage*** yourself.（要參加。）***Engage*** in healthy activities.（要參加健康的活動。）（= *Engage yourself in healthy activities.*）***Get involved.***（要參與。）（= *Involve yourself. = Be involved.*）***Get information.***（要得到資訊。）可説成：Gain information.（要獲得資訊。）（= *Acquire information.*）You must ***get information*** to succeed.（要成功就要有資訊。）

　　Adjust.（要調整。）參加會議後，得到新的知識，就要調整。***Adjust*** your outlook.（要調整你的看法。）Be able to ***adjust***.（要能夠調整。）*Change.*（要改變。）可説成：***Change*** to improve.（要爲了改善而改變。）***Change*** for the better.（要變得更好。）*Modify.*（要修正。）***Modify*** your opinion on the matter.（要修正你對這件事的看法。）*adjust*、*change* 和 *modify* 是同義字。

成功的祕訣

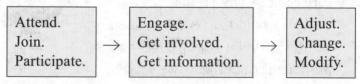

| Attend.
Join.
Participate. | → | Engage.
Get involved.
Get information. | → | Adjust.
Change.
Modify. |

參與活動時，認識了新朋友，得到新知識，回去以後就要調整、改變，和修正。

2-2【背景説明】

　　參加完活動以後，得到新資訊、新點子，一定要發明、創造。*Invent.*（要發明新東西。）（= *Try to invent new things.*）Try to ***invent*** something new to succeed.（想要成功，就要努力發明新東西。）Try to ***invent*** better ways to do things.（要努力發明較好的方法來做事。）*Initiate.*（要率先開始。）（= *Start.* = *Begin.*）Don't hesitate or wait, ***initiate***.（不要猶豫或等待，要率先開始。）Be the person to ***initiate*** things.（要做一個率先開始做事的人。）*Innovate.*（要創新。）Don't be a follower, ***innovate***.（不要跟別人學，要創新。）Be a person who wants to ***innovate***.（要做一個想要創新的人。）Leaders like to ***innovate*** better methods.（領導者喜歡發明更好的方法。）***innovate*** 的意思有：「革新；創新；發明」。

　　Imagine.（要會想像。）***Imagine*** better ways to do things.（要想出更好的方法來做事。）Try to ***imagine*** how to create better products.（要努力想出如何創造更好的產品。）***imagine*** 的主要意思是「想像」（= *picture*; *see*），也可作「想出」解（= *think up*）。*Generate.*（要有生產力。）可說成：*Generate* new methods.（要產生新的方法。）***Generate*** enthusiasm.（要產生出熱情。）Try to ***generate*** more profits.（要努力產生更多的利潤。）Be the type of person who ***generates*** new ideas.（要做那種能想出新點子的人。）***generate*** 的意思有：「產生；引起」（= *produce*; *create*）。*Create.*（要創造。）***Create*** opportunities to succeed.（要創

造成功的機會。）Always try to *create* better products or service.（一定要努力創造更好的產品或服務。）

　　Design.（要設計。）*Design* a good business model.（要設計一個好的商業模式。）*Design* good products and you'll be rich.（設計好的產品，你就會發財。）*Devise*.（要設計。）Always try to *devise* new and better ways to do things.（一定要設計出新的而且較好的方法去做事。）To succeed, you must *devise* good plans.（要成功，你必須設計出好的計劃。）*devise* 的意思有：「發明；設計；想出」。*Develop*.（要發展。）Try to *develop* a good business.（要努力發展好的事業。）Try to *develop* new products.（要努力研發新的產品。）

2-3【背景説明】

　　發明、創造之後，一定要改進自己的專業技術，做到最好。*Master*.（要精通。）可説成：*Master* your career.（要精通你的事業。）*Master* your job.（要精通你的工作。）*Master* English.（要把英文學好，不要學一半。）To succeed, *master* your chosen career.（要成功，就要精通你選擇的事業。）*excel* 的意思有：①精通；擅長 ②勝過別人。*excel* 的形容詞是 excellent（極好的）。*Excel*.（要精通。）可説成：*Excel* in what you do.（做什麼事都要精通。）*Excel* in your job.（要精通你的工作。）

Master your job.

Excel everyone else.（要勝過其他人。）*Exceed*.（要超越別人。）可說成：To succeed, you must *exceed*.（要成功，你必須超越別人。）You must *exceed* expectations.（你必須超越預期。）To win, your scores must *exceed* others'.（要贏，你的分數必須超越其他人。）

Surpass.（要超越。）*Surpass* expectations and you'll succeed.（超越預期你就會成功。）Always try to *surpass* your competitors.（一定要努力超越你的競爭者。）*Be skilled*.（要有專業技術。）skilled worker 是「有專業技術的工作者」，unskilled worker 是「沒有專業技術的工作者」（容易被取代）。*Skillful*. 在此指 Be *skillful*.（要很熟練。）*skillful* 的意思有：①有技術的②熟練的。*Skillful* people never stop learning.（有專業技術的人絕不會停止學習。）To continue learning is to remain *skillful*.（持續學習就能保持熟練。）

Proficient. 在此指 Be *proficient*.（要精通。）可說成：Be *proficient* in your job.（要精通你的工作。）He is *proficient* in English.（他精通英文。）*Professional*. 在此指 Be *professional*.（要專業。）Be *professional* in your job.（工作要專業。）Be a *professional* teacher.（要做一個專業的老師。）*An expert*. 在此指 Be *an expert*.（要成為專家。）Try to be *an expert* at what you do.（做什麼事都要努力成為專家。）

3. *Grab*. *Grab*. *Grab*.
抓住、抓住、抓住。

字首都是 Gr
Grab.	要抓住機會。
Grasp.	要抓住機會。
Grip.	要緊緊抓住。

字尾是 p

字首都是 C
Catch.	要抓住。
Clutch.	要緊緊抓住。
Clasp.	要緊緊抓住。

字尾是 tch

都有 Don't
Don't wait.	不要等待。
Don't watch.	不要觀望。
Seize the moment.	要把握時機。

**

grab³〔græb〕*v.* 抓住　　grasp³〔græsp〕*v.* 抓住

grip⁵〔grɪp〕*v.* 緊抓　　catch¹〔kætʃ〕*v.* 抓住

clutch⁵〔klʌtʃ〕*v.* 緊抓　　clasp⁵〔klæsp〕*v.* 抱緊；握緊；抓緊

watch¹〔watʃ〕*v.* 觀看；等待　　seize³〔siz〕*v.* 抓住

moment¹〔'momənt〕*n.* 時刻；時機

1. How to Succeed

		同義句	
字首是 T	*Attempt.*		要嘗試。
	Try.		要嘗試。
	Take risks.		要冒險。

		字尾是 re	
字首是 v	Dare.		要勇敢。
	Venture.		要勇於冒險。
	Be valiant.		要勇敢果決。

		同義句	
字首是 B	Daring.		要勇敢。
	Brave.		要勇敢。
	Bold.		要大膽。

**

attempt[3] 〔 ə'tɛmpt 〕 *v.* 企圖;嘗試

risk[3] 〔 rɪsk 〕 *n.* 風險

take risks 冒險　　dare[3] 〔 dɛr 〕 *v.* 敢;勇敢

venture[5] 〔 'vɛntʃɚ 〕 *v.* 冒險

valiant[6] 〔 'væljənt 〕 *adj.* 英勇的

daring[3] 〔 'dɛrɪŋ 〕 *adj.* 勇敢的

brave[1] 〔 brev 〕 *adj.* 勇敢的

bold[3] 〔 bold 〕 *adj.* 大膽的

venture

1. How to Succeed

字首都是 S	*Strive.*	字尾都是 e	要努力。
	Struggle.		要奮鬥。
	Sacrifice.		要犧牲。

同義句	Focus.	要專注。
	Concentrate.	要專心。
	Apply yourself.	要專心致力。

同義句	Commit yourself.	要投入。
	Devote yourself.	要全心投入。
	Dedicate yourself.	要全心投入。

都有 yourself

**

strive[4] (straɪv) v. 努力
struggle[2] ('strʌgḷ) v. 掙扎；奮鬥
sacrifice[4] ('sækrə,faɪs) v. 犧牲
focus[2] ('fokəs) v. 集中
concentrate[4] ('kɑnsṇ,tret) v. 專心
apply oneself 專心致力
commit[4] (kə'mɪt) v. 使致力於
devote[4] (dɪ'vot) v. 奉獻；使致力於
dedicate[6] ('dɛdə,ket) v. 使致力於；奉獻

strive

3-1【背景說明】

> 成功的人總是會尋找機會（seek opportunities），一般人喜歡等待機會（wait for opportunities），傻瓜機會來了都不知道。（A fool always lets opportunities pass by.）機會是最大的財富，你今天碰到一個你喜歡的人，抓住機會，就能成為你的伴侶，否則終生後悔。

Grab.（要抓住機會。）可說成：*Grab* every opportunity.（要抓住每一次機會。）*Grab.–Grasp.–Grip.* 是同義句，全部都是 Gr 開頭，唸一遍即可記得。最重要的是，機會無所不在，學會抓住機會，你就容易成功。

Catch.（要抓住。）可說成：*Catch* every chance.（要抓住每一次機會。）*Catch* every good opportunity to learn.（要抓住每一次學習的好機會。）*Catch* every chance to travel abroad.（要抓住每一次出國旅遊的機會。）*Clutch.*（要緊緊抓住。）（= *Keep in your hands.*）He *clutched* the steering wheel anxiously.（他焦慮地緊抓著方向盤。）*Clasp.*（要緊緊抓住。）（= *Hold something firmly.*）*Clasp* good opportunities.（要抓住好機會。）*catch*、*clutch*，和 *clasp* 是同義字，背同義字的時候，不需要去研究它的區別，否則就背不下來了。

Don't wait.（不要等待。）可說成：Don't hesitate.（不要猶豫不決。）Don't miss the chance.（不要錯過機會。）暗示「要採取行動。」（= *Take action.*）「要抓住機會。」（= *Grab the chance.*）*Don't watch.*（不要觀望。）可說成：Don't just see it.（不要只是看。）（= *Don't just view it.*）*Seize the moment.*（要把握時機。）（= *Seize the day.*）可說成：Do it now.（現在就做。）（= *Act now.*）

> 這一回九句話，前六句 Grab. Grasp. Grip. Catch. Clutch.
> Clasp. 演講時講這六句話，一句一句地講，鏗鏘有力，再加上
> Don't wait. Don't watch. Seize the moment. 這九句話，可帶
> 聽眾一起跟著你喊，告訴他們，聽這次演講、認識演講者，就是
> 一個機會，強調把握機會的重要。

3-2【背景說明】

　　一旦有了機會以後，要嘗試冒險。*Attempt*.（要嘗試。）可
說成：*Attempt* to learn.（要嘗試學習。）*Attempt* new things.
（要嘗試新事物。）Don't be afraid to *attempt* something new.
（不要害怕嘗試新事物。）*Try*.（要嘗試。）可說成：*Try* to meet
new people.（要嘗試認識陌生人。）When traveling, *try* new
things.（旅行時，要嘗試新事物。）*Take risks*.（要冒險。）可說
成：You'll seldom succeed without *taking risks*.（不冒險就很
難成功。）（= *You must take risks to succeed*.）

　　Dare.（要勇敢。）可說成：*Dare* to be great!（要勇敢做大
事！）*Dare* to attempt challenging tasks.（要勇敢嘗試有挑戰性
的任務。）*Dare* to take chances.（要勇於冒險。）*Venture*.（要
勇於冒險。）Nothing *ventured*, nothing gained.（【諺】不入虎
穴，焉得虎子。）You must *venture* to succeed.（要成功就必須
冒險。）*Be valiant*.（要勇敢果決。）Don't be afraid; *be valiant*.
（不要害怕；要勇敢果決。）*Be valiant* when attempting difficult
tasks.（當嘗試困難的任務時，要勇敢果決。）

　　Daring. 在此指 Be *daring*.（要勇敢。）*daring* 是 dare 的形
容詞。Be a *daring* person to achieve great things.（要做一個勇

敢的人，完成偉大的事。）Be both *daring* and safe to succeed.
（要勇敢又安全地成功。）*Brave*. 在此指 Be *brave*.（要勇敢。）
Force yourself to be *brave*.（要強迫自己勇敢。）Develop the
habit of being *brave*.（要培養勇敢的習慣。）*Bold*. 在此指 Be
bold.（要大膽。）You must be *bold* to accomplish greatness.
（你必須勇敢完成大事。）

3-3【背景說明】

除了勇於冒險以外，還要努力奮鬥。*Strive*.（要努力。）*Strive*
to improve yourself.（要努力改善自己。）Everyone should
strive to succeed.（為了成功，每個人都應該努力。）*Struggle*.
（要奮鬥。）Sometimes you must *struggle* to win.（有時你必須
奮鬥才能贏。）You must *struggle* to achieve success.（為了成
功，你必須奮鬥。）*struggle* 也可作「掙扎」解。
Sacrifice.（要犧牲。）To achieve success, you
must *sacrifice* time and effort.（要成功，你必
須犧牲時間和努力。）

Success

Focus.（要專注。）*Focus* on the task at hand.（要專注於你
手邊的任務。）*Focus* on the important things in life.（要專注於
人生中重要的事物。）*Concentrate*.（要專心。）*Concentrate* on
your objectives.（要專注於你的目標。）*Concentrate* on what is
really important.（要專注於真正重要的事物。）Don't daydream—
concentrate on what you're doing.（不要做白日夢—專心做你正
在做的事。）*Apply yourself*.（要專心致力。）apply 的主要意思

是「申請」，*apply yourself* 是成語。You need to *apply yourself* to improve. (你需要努力改善。) Always *apply yourself* to every task. (一定要全心投入每一項任務。)

　　Commit yourself. (要投入。) *Commit yourself* to every task you try. (要全心投入你所嘗試的每一個任務。) *Devote yourself.* (要全心投入。) *Devote yourself* to your passions and goals. (要全心投入你的愛好和目標。) Totally *devote yourself* to your objectives. (要全心投入你的目標。) *Dedicate yourself.* (要全心投入。) *Dedicate yourself* to achieving your goals. (要全心投入達成你的目標。) Totally *dedicate yourself* to be a success. (要全心投入成為成功的人。)【success〔səkˈsɛs〕*n.* 成功；成功的人】

Apply yourself
Commit yourself
Devote yourself
Dedicate yourself
⎫
⎬ to achieving great things.
⎭

（要全心投入做大事。）【to 是介系詞】

　　原則上，「要專心；要投入。」可說成：*Commit yourself.* (＝*Be committed.*) *Devote yourself.* (＝*Be devoted.*) *Dedicate yourself.* (＝*Be dedicated.*) 主動、被動意義相同。但是，*Apply yourself.* 就不等於 *Be applied.* 因為 apply 有「應用」的意思。所以，學英文一定要背句子，不能用文法規則來造句。

4. Select a good mentor.

要選擇一位好的師父。

Find a mentor.	字尾都是 tor		要找一位師父。
Tutor.			私人教師。
Instructor.			指導老師。

字首是 T	Master.	字尾是 er	師父。
	Teacher.		老師。
	Trainer.		教練。
	Adviser.		指導老師。
	Coach.		教練。
	Guide.		指導者。

1. How to Succeed

**

mentor〔ˈmɛntɚ, ˈmɛntɔr〕n. 良師；指導老師；師父

tutor[3]〔ˈtjutɚ〕n. 家教；私人教師；老師

instructor[4]〔ɪnˈstrʌktɚ〕n. 指導者；老師

master[1]〔ˈmæstɚ〕n. 師父　v. 精通

trainer[1]〔ˈtrenɚ〕n. 訓練者；教練

adviser[3]〔ədˈvaɪzɚ〕n. 顧問；指導老師

coach[2]〔kotʃ〕n. 教練　　guide[1]〔gaɪd〕n. 指導者

tutor

1. How to Succeed

字首都是 O	*Obey*.	字尾是 e	要服從。
	Observe.		要遵守。
	Offer service.		要提供服務。

字首是 S	Serve.	要提供服務。
	Satisfy.	要令人滿意。
	Assist.	要協助。

同義句	Copy.	要模仿。
	Imitate.	要模仿。
	Follow suit.	要跟著做。

**

obey [2] 〔ə'be〕 v. 服從；遵守

observe [3] 〔əb'zɜv〕 v. 觀察；遵守

offer [2] 〔'ɔfɚ〕 v. 提供   service [1] 〔'sɜvɪs〕 n. 服務

serve [1] 〔sɜv〕 v. 服務   satisfy [2] 〔'sætɪs,faɪ〕 v. 使滿意

assist [3] 〔ə'sɪst〕 v. 協助   copy [2] 〔'kɑpɪ〕 v. 模仿

imitate [4] 〔'ɪmə,tet〕 v. 模仿

follow suit 跟著做

obey

同義句 { ***Be loyal.*** Faithful. Devoted. } 字尾是 l	要忠誠。 要忠實。 要忠實。

同義句 { Dependable. Reliable.	要可靠。 要可靠。
同義句 { Responsible. Accountable. } 字尾是 ble	要負責任。 要負責任。
Trustworthy.	要值得信任。
Don't betray anyone.	不要背叛任何人。

1. How to Succeed

** ————————————

loyal[4]〔ˈlɔɪəl〕*adj.* 忠誠的
faithful[4]〔ˈfeθfəl〕*adj.* 忠實的；忠誠的
devoted[4]〔dɪˈvotɪd〕*adj.* 忠實的；摯愛的
dependable[4]〔dɪˈpɛndəbḷ〕*adj.* 可靠的
reliable[3]〔rɪˈlaɪəbḷ〕*adj.* 可靠的
responsible[2]〔rɪˈspɑnsəbḷ〕*adj.* 負責任的
accountable[6]〔əˈkaʊntəbḷ〕*adj.* 應負責任的
trustworthy〔ˈtrʌst͵wɝðɪ〕*adj.* 值得信任的
betray[6]〔bɪˈtre〕*v.* 出賣；背叛

dependable

4-1【背景說明】

要成功，就一定要拜一個師父。*Find a mentor.*（要找一位師父。）*Find a mentor* to learn from.（要找一個師父學習。）Having *a mentor* speeds up success.（有一位師父可加速成功。）*mentor* 的意思有：「指導者；顧問；導師；恩師；良師」，就是我們常說的「師父」。*Tutor.*（私人教師。）A *tutor* can teach and guide you.（私人教師能教導並引導你。）Learn from a knowledgeable *tutor*.（要向有學問的私人教師學習。）*Instructor.*（指導老師。）Seek the wisdom of an *instructor*.（要尋求指導老師的智慧。）

Master.（師父。）A *master* can give you much wisdom.（師父可以給你很多智慧。）Learn quickly from a *master*.（要很快地從師父那裡學習。）master 和 mentor 都作「師父」解，master 有控制性，mentor 則是受人尊敬的。*Teacher.*（老師。）Learn from *teachers*.（要向老師學習。）Soak up wisdom and knowledge from *teachers*.（要吸收老師的智慧和知識。）*Trainer.*（教練。）Let a *trainer* train you.（要讓教練訓練你。）*Trainers* give valuable advice.（教練會給你珍貴的勸告。）

Adviser.（指導老師。）Students need *advisers*.（學生需要指導老師。）*Advisers* guide you to success.（指導老師會引導你邁向成功。）*Coach.*（教練。）Having a *coach* is a great idea.（有一個教練是個很棒的主意。）*Guide.*（指導者。）Parents and teachers are the best *guides*.（父母和老師是最好的指導者。）把九個同義字 mentor-tutor-instructor, master-teacher-trainer, adviser-coach-guide 背至 5 秒，終生不忘記。

4-2【背景說明】

想要成功，和師父相處時，必須聽從師父的勸告。*Obey.* （要服從。）可說成：*Obey* your mentor's advice.（要聽從師父的勸告。）Listen to and *obey* your teachers.（要聽從老師的話。）*Observe.*（要遵守。）*Observe* your mentor's rules.（要遵守師父的規定。）*Observe* what your mentor tells you to do.（要遵照師父告訴你的去做。）*observe* 的意思有：①觀察②遵守，要看上下文來決定它的意思。*Offer service.*（要提供服務。）*Offer* your *service* to your mentor.（要提供服務給你的師父。）*Offer* your *service* to your elders.（要對長輩提供服務。）At work or in school, be willing to *offer* your *services.*（在工作時或在學校，都要願意提供服務。）

Serve.（要提供服務。）Be willing to *serve* your teachers. （要願意給老師提供服務。）It's our duty to *serve* our parents, especially when they're older.（服侍雙親是我們的責任，特別是當他們年紀比較大時。）*Satisfy.*（要令人滿意。）To succeed, you must *satisfy* your mentor.（要成功，你必須讓師父滿意。）Always work hard to *satisfy* your boss.（一定要努力工作，使老闆滿意。）*Assist.*（要協助。）Team players are always willing to *assist.*（有團隊精神的人總是願意幫助別人。）*Assist* your teachers whenever you can.（當你能夠的時候，就要協助你的老師。）Always *assist* anyone in need.（一定要幫助窮困的人。）【*in need* 在窮困中的】

Copy.（要模仿。）*Copy* the actions of successful people.
（要模仿成功者的行為。）Don't *copy* bad behavior.（不要模仿
壞的行為。）*Imitate*.（要模仿。）*Imitate*
good behavior.（要模仿好的行為。）
Imitate successful and famous leaders.
（要模仿成功而且有名的領導者。）*Follow*

imitate

suit.（要跟著做。）See what he did and *follow suit*.（看他怎麼
做，你跟著做。）Observe successful action and *follow suit*.
（要觀察成功的行為，並跟著做。）

4-3【背景說明】

對師父一定要忠誠，師父才會心甘情願協助你。*Be loyal*.
（要忠誠。）可說成：*Be* known as a *loyal* person.（要被大家
認為是個忠誠的人。）*Be loyal* to your mentors, teachers,
and classmates.（要對你的師父、老師，和同學忠誠。）*Faithful*.
在此指 Be *faithful*.（要忠實。）My best friend and I are
faithful to each other.（我最好的朋友和我對彼此很忠實。）
Always try to be *faithful* to your country.（一定要對你的國
家忠誠。）*Devoted*. 在此指 Be *devoted*.（要忠實。）I'm very
devoted and faithful to my mentor.（我對我的師父非常非常忠
實。）*devoted* 也可作「專心的」解。Be *devoted* to your
studies.（要專心讀書。）(= *Devote yourself to your studies*.)

Dependable. 在此指 Be *dependable*.（要可靠。）My
adviser is *dependable*, patient, and kind.（我的指導老師很可靠、
有耐心，又親切。）My parents are so *dependable*. They're

always ready to help me. （我的父母非常可靠。他們總是隨時準備幫助我。） *Reliable.* 在此指 Be *reliable.* （要可靠。） Select friends that are *reliable.* （要選擇可靠的朋友。） I can always count on my teacher, who is *reliable.* （我總是可以依賴我的老師，他很可靠。） *Responsible.* 在此指 Be *responsible.* （要負責任。） We are *responsible* for our actions. （我們要爲自己的行爲負責。） It's a parent's duty to train kids to be *responsible.* （訓練孩子負責任是父母的責任。）

　　Accountable. 在此指 Be *accountable.* （要負責任。） Be *accountable* for everything you do. （要對你所做的每件事負責。） My parents told me to be *accountable* for my actions. （我的父母告訴我要對自己的行爲負責。） *Trustworthy.* 在此指 Be *trustworthy.* （要值得信任。） To be honest and *trustworthy* is most important. （要誠實並值得信任是非常重要的。） My best friend is a *trustworthy* soul. （我最好的朋友是個值得信任的人。）【soul〔sol〕*n.* 人】 *Don't betray anyone.* （不要背叛任何人。） Never be disloyal or *betray anyone.* （永遠不要不忠實或背叛任何人。） To deceive is to *betray.* （欺騙即是背叛。）

> Don't betray anyone.

不能只說：*Don't betray.* （誤）中文可以說「不要背叛。」英文要說：*Don't betray anyone.* 才對。

1. How to Succeed

【**How to Succeed** 結尾語】

You've all been great.
你們全都很棒。

同義句 { A good audience. 你們是好聽衆。
Good listeners. 你們都很認眞聽。

都有 You {
You must succeed.
你們一定會成功。
You owe it to yourselves.
成功是你們應該得到的。
You only live once.
人只能活一次。

兩個字 { Start today! 今天就開始！
Carpe diem! 要把握時機！
Success is waiting for you.
成功正等待著你們。

成功的祕訣： 1.有目標。 2.要參加活動。

3.要抓住機會。 4.要找一個好的師父。

How to Succeed 結尾語【背景説明】

You've all been great.（你們全都很棒。）可説成：*You have all been great* today.（你們今天全都很棒。）*A good audience.* 源自 You are *a good audience.*（你們是好聽衆。）*Good listeners.* 源自 You are *good listeners.*（你們都很認眞聽。）【audience〔ˈɔdɪəns〕*n.* 聽衆】

an audience

You must succeed.（你們一定會成功。）可説成：Now, *you must succeed.*（現在，你們一定會成功。）助動詞 must 的意思有：①必須②一定，在此作「一定」解。*You owe it to yourselves.* 字面的意思是「你們欠自己這個。」表示「成功是你們應該得到的。」（= *You deserve it.*）*You only live once.*（人只能活一次。）是慣用句，不能説成：*We only live once.*（誤）或 *People only live once.*（誤）可説成：You only have one life.（人只能活一次。）

Start today!（今天就開始！）（= *Begin today!* = *Get started today!*）*Carpe diem!* 是拉丁文，唸成〔ˈkɑrpɪˈdiəm〕，現在美國人常用，意思是「要把握時機！」（= *Seize the day!* = *Seize the time!*）可説成：*Carpe diem*, don't miss the chance.（要把握時機，不要錯過機會。）Go for it—*carpe diem*.（要全力以赴——把握時機。）*Success is waiting for you.*（成功正等待著你們。）（= *Success is yours.*）

有男女兩種錄音

1. How to Succeed

Edward　　Stephanie

【開場白】

Ladies. 女士們。
Gentlemen. 先生們。
Greetings. 大家好。

Want to succeed?
想要成功嗎？
Achieve success?
想要獲得成功嗎？
Be successful? 想要成功嗎？

Healthy? 想要健康嗎？
Wealthy? 想要發財嗎？
Prosperous? 想要飛黃騰達嗎？

1. You must have a goal.

Determine a goal.
要決定一個目標。
Target. 一個標靶。
Purpose. 一個目的。

Aim. 一個目標。
Plan. 一個計畫。
Objective. 一個目標。

Intention. 企圖心。
Ambition. 抱負。
Destination. 目的。

It must be clear.
目標一定要明確。
Clear-cut. 很清楚。
Crystal clear. 非常清楚。

Defined. 要確定。
Definite. 很明確。
Distinct. 明明白白。

Specific. 很特定。
Straightforward. 很清楚。
Simple and plain. 簡單明白。

It must be your passion.
它必須是你的愛好。
You must be passionate.
你必須很熱情。
Zealous. 要很狂熱。

Eager. 要渴望。
Earnest. 要認眞。
Enthusiastic. 要熱心。

Do what you cherish.
要做你喜愛的事。
Cherish what you do.
要愛你所做的事。
A fortune will follow.
大錢會自己來。

2. *Attend. Attend. Attend.*

Attend. 要參加。
Join. 要加入。
Participate. 要參與。

Engage. 要參與。
Get involved. 要參與。
Get information. 要得到資訊。

Adjust. 要調整。
Change. 要改變。
Modify. 要修正。

Invent. 要發明新東西。
Initiate. 要率先開始。
Innovate. 要創新。

Imagine. 要會想像。
Generate. 要有生產力。
Create. 要創造。

Design. 要設計。
Devise. 要設計。
Develop. 要發展。

Master. 要精通。
Excel. 要精通。
Exceed. 要超越別人。

Surpass. 要超越。
Be skilled. 要有專業技術。
Skillful. 要很熟練。

Proficient. 要精通。
Professional. 要專業。
An expert. 要成為專家。

3. *Grab. Grab. Grab.*

Grab. 要抓住機會。
Grasp. 要抓住機會。
Grip. 要緊緊抓住。

Catch. 要抓住。
Clutch. 要緊緊抓住。
Clasp. 要緊緊抓住。

Don't wait. 不要等待。
Don't watch. 不要觀望。
Seize the moment. 要把握時機。

Attempt. 要嘗試。
Try. 要嘗試。
Take risks. 要冒險。

Dare. 要勇敢。
Venture. 要勇於冒險。
Be valiant. 要勇敢果決。

Daring. 要勇敢。
Brave. 要勇敢。
Bold. 要大膽。

Strive. 要努力。
Struggle. 要奮鬥。
Sacrifice. 要犧牲。

Focus. 要專注。
Concentrate. 要專心。
Apply yourself. 要專心致力。

Commit yourself. 要投入。
Devote yourself. 要全心投入。
Dedicate yourself. 要全心投入。

4. Select a good mentor.

Find a mentor. 要找一位師父。
Tutor. 私人教師。
Instructor. 指導老師。

Master. 師父。
Teacher. 老師。
Trainer. 教練。

Adviser. 指導老師。
Coach. 教練。
Guide. 指導者。

Obey. 要服從。
Observe. 要遵守。
Offer service. 要提供服務。

Serve. 要提供服務。
Satisfy. 要令人滿意。
Assist. 要協助。

Copy. 要模仿。
Imitate. 要模仿。
Follow suit. 要跟著做。

Be loyal. 要忠誠。
Faithful. 要忠實。
Devoted. 要忠實。

Dependable. 要可靠。
Reliable. 要可靠。
Responsible. 要負責任。

Accountable. 要負責任。
Trustworthy. 要值得信任。
Don't betray anyone.
不要背叛任何人。

【結尾語】

You've all been great.
你們全都很棒。
A good audience.
你們是好聽眾。
Good listeners.
你們都很認真聽。

You must succeed.
你們一定會成功。
You owe it to yourselves.
成功是你們應該得到的。
You only live once.
人只能活一次。

Start today! 今天就開始！
Carpe diem! 要把握時機！
Success is waiting for you.
成功正等待著你們。

【作文範例】

How to Succeed

Here's how to succeed in our lives. *First of all*, we must have a goal. We must determine a goal, a target, and a purpose. We need to have an aim, plan, and objective for what we will do. We must have an intention, an ambition, and a destination. *Also*, our target must be clear—clear-cut and crystal clear. It should be defined, definite, and distinct. Our goal must be specific, straightforward, simple and plain. *Additionally*, our objective must be our passion, and we must be passionate and zealous. We have to be eager, earnest, and enthusiastic to reach our objective. We must do what we cherish and cherish what we do, and then a fortune will follow.

Secondly, we must attend, join, and participate in activities. We have to be engaged, get involved, and get information about our hobbies. We must adjust, change, and modify if we don't enjoy our plan. *Next*, we must invent, initiate, and innovate new things. We must imagine, generate, and create. We should also design, devise, and develop something. *What's more*, we need to master, excel, and exceed in our activity. It is important to surpass, be skilled, and be skillful. We should be proficient, professional, and an expert at our jobs.

Thirdly, we must grab to succeed. We must grab, grasp, and grip what we want. We need to catch, clutch, and clasp our needs. We mustn't wait or watch. We must seize the moment. *Furthermore*, we must attempt, try, and take risks. It is important to dare, venture, and be valiant. We need to be daring, brave, and bold to be successful. *Moreover*, we must also strive, struggle, and sacrifice. We should focus, concentrate, and apply ourselves to important subjects. We need to commit ourselves, devote ourselves, and dedicate ourselves to what we love.

More importantly, we must select a good mentor. We need to find a mentor, tutor, and instructor that supports us. We have to find a master, teacher, and trainer to learn from. We should look for an adviser, coach, and guide to help us. *In addition*, it is important to obey, observe, and offer service to others. We should serve, satisfy, and assist those in need. We need to copy, imitate, and follow those we learn from. *Lastly*, we must be loyal, faithful, and devoted to those we care about. We should be dependable, reliable, and responsible at all times. We need to be accountable and trustworthy and not betray anyone. If we follow these words, we will be successful.

【翻譯】

如何成功

　　以下是在人生中，要如何成功的方法。首先，我們必須有一個目標。我們必須決定一個目標、一個標靶，和一個目的。對於我們要做的事，我們必須有一個目的、計劃，和目標。我們必須有企圖心、抱負，和目的。而且，我們的目標一定要明確——很清楚，非常清楚。它應該要確定、很明確，而且明明白白。我們的目標必須很特定、很清

楚，而且簡單明白。此外，我們的目標必須是我們的愛好，而且我們必須很熱情又狂熱。爲了達到目標，我們必須很渴望、認眞，而且熱心。我們必須做自己喜愛的事，愛自己所做的事，然後大錢就會自己來。

　　第二，我們必須參加、加入，和參與活動。我們必須從事、參與，並得到與我們的嗜好有關的資訊。如果我們不喜歡自己的計劃，就必須調整、改變，和修正。其次，我們必須發明、創始，以及引進新的事物。我們必須會想像、有生產力，並且會創造。我們也應該設計、創造，和研發東西。而且，在從事活動時，我們必須精通、勝過，並超越別人。重要的是要超越、要有專業技術，而且很熟練。在工作上，我們應該精通、專業，而且要成爲專家。

　　第三，要成功，我們必須抓住。我們必須把握、抓住，而且要緊緊抓住我們想要的。我們必須抓住、緊握、緊緊抓住我們需要的東西。我們絕不能等待或觀望。我們必須把握時機。此外，我們必須努力嘗試、企圖征服，並勇於冒險。重要的是要勇敢、要勇於冒險，而且要勇敢果決。想要成功，我們必須勇於冒險、勇敢，而且大膽。還有，我們也必須努力、奮鬥，而且願意犧牲。對於重要的課題，我們應該要專注、專心，而且要投注心力。對於我們所喜愛的事物，我們必須很熱中、很專心，而且全心投入。

　　更重要的是，我們必須選一位好師父。我們必須找一位能支持我們的師父、私人教師，以及指導老師。我們必須找一位師父、老師，和教練來學習。我們應該找一位顧問、教練，以及指導者來幫助我們。此外，對別人服從、遵守，並提供服務，是很重要的。對於窮困的人，我們應該提供服務、令他們滿意，並協助他們。我們必須仿效、模仿，並效法我們的學習對象。最後，對於我們在乎的人，我們應該要忠誠、眞誠，並且忠實。我們應該要一直都很可靠、可信賴，並且負責任。我們必須負責任、值得信任，而且不背叛任何人。如果我們聽從這些話，我們就會成功。

1. How to Succeed

有目標是成功的第一步

很多人問我,該如何成功?根據我的經驗,首先,你要有一個目標。(You must have a goal.) 無論從事什麼事業,都要有目標,就像射箭,要有標靶 (target),每天都要有計劃 (plan)。目標要明確 (It must be clear.)、非常清楚 (crystal clear),簡單明白 (simple and plain)。我從小就想當一個英文老師,連續五十多年來,沒有一天改變。別人問我,為什麼可以做到?因為它是我的愛好 (passion)。做自己喜歡做的事,永遠充滿熱情 (passionate)。我常跟別人說,Do what you cherish. Cherish what you do. A fortune will follow. (做你所喜愛的事。愛你所做的事。大錢自然會來。) 最重要的是,做你熱愛的事,對你的健康有益。

在現今競爭激烈的社會中,一個人在家裡研究,成功機會幾乎等於零。所以,你要參加各種活動 (attend)、加入社團 (join),參與活動 (participate) 後,得到資訊 (get information),回去以後就要調整 (adjust)、改變 (change)、修正 (modify)。同樣的人,用同樣的方法,做同樣的事,不可能產生不同的結果。在參加團隊活動時,要樂於助人 (be helpful, obliging, and accommodating),要關心別人 (caring)、支持別人 (supportive),在團體中,創造自己的身價 (invaluable and indispensable),讓別人需要你,沒有你不行。

最近,我在社群網站上,看到我的朋友謝智芳理事長,在台大舉辦「全國聯合師訓」,我便主動打電話給他,他馬上邀請我參加。我覺得我一生最大的優點,就是能把握機會。我常說:「有智慧的人尋找機會,一般人等待機會,傻瓜機會來了都不知道。」在新發明的「英文一字金⑥激勵演講經」中提到:Grab. Grasp. Grip. Catch. Clutch. Clasp. Don't wait. Don't watch. Seize the moment. 很多人很會讀書,卻忽略了機會的重要。碰到一個你喜歡的人,就是你的機會。有一次我出國旅遊,認識急診室主任劉文俊醫師,他充滿熱情和愛心。認識他後,解決我太多的煩惱,我和我的家人,身體不舒服,都可以問他,得到了重要的資訊。機會、機會、機會,太重要了。

經營事業不改變方法，就會走下坡。麥當勞核心產品大麥克（Big Mac），現在還是排行榜第一名，但他們依舊不停在創新。我早期做的書「文法寶典」和「英文字根字典」，目前還是很暢銷。新發明的學英文方法，雖然沒有那麼快被人接受，但我們還是要嘗試（attempt, try, and take risks）。成功者勇於冒險（dare and venture），勇敢果決（be valiant），不捨得花錢、不勇敢，做不了大事。

我每天早上5點鐘起床，6點鐘開始到公園裡背所研發的教材，從不改變。我最喜歡的是：Strive.（要努力。）Struggle.（要奮鬥。）Sacrifice.（要犧牲。）全心投入。（Devote yourself, focus, and concentrate.）專心做一件事，就會創造奇蹟。全世界的人學不好英文，都是因為背的單字不夠，背了又忘記。我曾經背了50多篇英文演講，藉由到各學校演講的機會，練習我自己的英文，全程兩小時全部用英文，因為是背的，當然說起來有信心。問題是，單字量不夠，有時艱深的單字，講一次就永遠不再用，還是會忘記。結果發現，用演講來學英文行不通，因為背了後面，會忘了前面。

現在發明「英文一字金」，一個字一句話，把它變成演講，就簡單了。5秒鐘就能說出9句話（也就是9個單字），所以一篇演講稿108句，3分鐘內就可說完。以前的演講稿需要花10分鐘，才能講108句。凡是能表達完整思想的，就是句子。能夠用一個字表達，就不要用兩個字。學英文就要用最簡單的方法，學生背得下，老師背得下，就是好方法。

「英文一字金」目標在讓大家快速增加單字。「高中常用7000字」如果背熟，就能看懂所有文章的90%，即使看到不會的單字，也不會害怕。所以，要集中心力，把7000字徹底背熟。我們把這些單字放在「激勵演講經」中，只要背完，終生就可以用這篇演講，去激勵周圍的人，可以徹底解決人類永遠學不好英文的問題。解救受苦受難學英文的老師和學生，是我一生的願望，眼看著就要達成了，我非常激動，每天從早到晚都在背，背得不亦樂乎。

劉毅

2. *How to Be Popular*
如何受人歡迎

【開場白】

Hello, everyone. 哈囉，大家好。

都有 So
So happy to see you.
很高興見到你們。
So honored to be here.
很榮幸能來到這裡。

都有 I
I have great advice.
我有很棒的建議。
I'm here to share it.
我來這裡是要來分享。
Please lend me your ears.
請聽我說。

都有 Want
Want to be liked?
想要受人喜愛嗎？
Want many friends?
想要有很多朋友嗎？
Here's how to be popular.
以下就是如何受人歡迎的方法。

How to Be Popular 開場白【背景説明】

開場白除了説：Ladies and gentlemen.（各位先生，各位女士。）
最常用的就是 *Hello, everyone.*（哈囉，大家好。）可説成：Hello,
one and all.（哈囉，大家好。）Hi, everybody.（嗨，大家好。）*So
happy to see you.*（很高興見到你們。）源自 I'm *so happy to see
you.*（我很高興見到你們。）*So honored to be here.*（很榮幸能來到
這裡。）源自 I'm *so honored to be here.*（我很榮幸能來到這裡。）

I have great advice.（我有很棒的建議。）不可説成：*I have
a great advice.*（誤）advice（勸告；建議）是抽象名詞，不可加 a。
如用 suggestion，應説成：I have some great suggestions for
you.（我有一些很棒的建議要給你們。）不能只説：*I have great
suggestions for you.*【文法對，美國人不説】*I'm here to share it.*（我
來這裡是要來分享。）可説成：*I'm here to share it* with you.（我
來這裡是要和你們分享。）*Please lend me your ears.* 字面的意思
是：「請把你們的耳朵借給我。」引申爲「請聽我説。」（= *Please
listen to me.*）

Want to be liked?（想要受人喜愛嗎？）源自 Do you *want to
be liked*?（你想要受人喜愛嗎？）可加強語氣説成：Do you *want
to be* well *liked* by many people?（你要不要讓很多人喜歡？）
Want many friends?（想要有很多朋友嗎？）源自 Do you *want
many friends*?（你想要有很多朋友嗎？）*Here's how to be popular.*
（以下就是如何受人歡迎的方法。）可説成：I want to tell you
right here and now, how to be popular.（在此時此地我要告訴你，
如何受人歡迎。）

1. *Generous. Generous. Generous.*
慷慨、慷慨、慷慨。

Be generous.	要慷慨。
Hospitable. ⎫ 字尾是 itable	要好客。
Charitable. ⎭	要樂善好施。

同義句	Helpful.	要樂於助人。
	Obliging. ⎫ 字尾是 ing	要樂於助人。
	Accommodating. ⎭	要樂於助人。

Radiate warmth.	要散發溫暖。
Indulge others.	要溺愛別人。
Share your abundance.	有福同享。

****** ————————————

generous² 〔'dʒɛnərəs 〕 *adj.* 慷慨的
hospitable⁶ 〔'hɑspɪtəbl̩, hɑs'pɪtəbl̩ 〕 *adj.* 好客的
charitable⁶ 〔'tʃærətəbl̩ 〕 *adj.* 慈善的
obliging⁶ 〔 ə'blaɪdʒɪŋ 〕 *adj.* 樂於助人的；親切的
accommodating⁶ 〔 ə'kɑmə,detɪŋ 〕 *adj.* 有包容心的；樂於助人的
radiate⁶ 〔'redɪ,et 〕 *v.* 散發　　warmth³ 〔 wɔrmθ 〕 *n.* 溫暖
indulge⁵ 〔 ɪn'dʌldʒ 〕 *v.* 縱容；溺愛　　share² 〔 ʃɛr 〕 *v.* 分享
abundance⁶ 〔 ə'bʌndəns 〕 *n.* 豐富

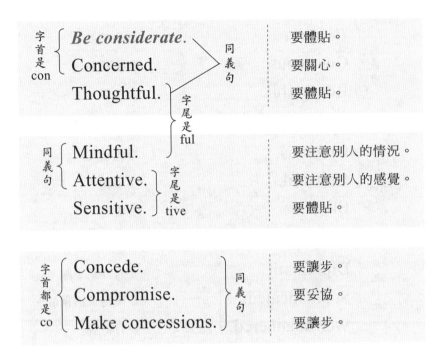

字首是 con
- ***Be considerate.*** — 要體貼。
- **Concerned.** — 要關心。
- **Thoughtful.** — 要體貼。

同義句

字尾是 ful

同義句
- **Mindful.** — 要注意別人的情況。
- **Attentive.** — 要注意別人的感覺。
- **Sensitive.** — 要體貼。

字尾是 tive

字首都是 co
- **Concede.** — 要讓步。
- **Compromise.** — 要妥協。
- **Make concessions.** — 要讓步。

同義句

**

considerate[5] ﹝kən'sɪdərɪt﹞ *adj.* 體貼的
concerned[3] ﹝kən'sɝnd﹞ *adj.* 關心的
thoughtful[4] ﹝'θɔtfəl﹞ *adj.* 體貼的
mindful[1] ﹝'maɪndfəl﹞ *adj.* 注意的；小心的
attentive[2] ﹝ə'tɛntɪv﹞ *adj.* 注意的；專注的
sensitive[3] ﹝'sɛnsətɪv﹞ *adj.* 敏感的；體貼的
concede[6] ﹝kən'sid﹞ *v.* 讓步；承認
compromise[5] ﹝'kɑmprə,maɪz﹞ *v.* 妥協
concession[6] ﹝kən'sɛʃən﹞ *n.* 讓步
make concessions 讓步

concede

同義句	**Be polite.**	要有禮貌。	
	Courteous.	要有禮貌。	
	Respectful.	要尊敬他人。	

字首是 Grac	Gracious.	要親切。	
	Graceful. 〕同義句	要優雅。	
	Elegant.	要優雅。	

意思相近	Diplomatic.	要有外交手腕。	
	Sophisticated. 〕字尾是 ed	要懂得人情世故。	
	Well-mannered.	要有禮貌。	

＊＊ ────────────

polite[2]〔 pə'laɪt 〕 *adj.* 有禮貌的

courteous[4]〔 'kɜtɪəs 〕 *adj.* 有禮貌的

respectful[4]〔 rɪ'spɛktfəl 〕 *adj.* 恭敬的

polite

gracious[4]〔 'greʃəs 〕 *adj.* 親切的；有禮貌的

graceful[4]〔 'gresfəl 〕 *adj.* 優雅的

elegant[4]〔 'ɛləgənt 〕 *adj.* 優雅的；高雅的

diplomatic[6]〔 ˌdɪplə'mætɪk 〕 *adj.* 有外交手腕的

sophisticated[6]〔 sə'fɪstɪˌketɪd 〕 *adj.* 世故的；老練的

well-mannered〔 'wɛl'mænəd 〕 *adj.* 有禮貌的

1-1【背景説明】

要讓別人喜歡你，最重要的，就是要慷慨、很慷慨。*Be generous.*（要慷慨。）*Be generous* to less fortunate people.（對於較不幸的人要慷慨。）Always *be* as *generous* as possible.（一定要儘可能慷慨。）*Hospitable.* 在此指 Be *hospitable*.（要好客。）Be *hospitable* when guests visit.（當客人來訪時，要好客。）*Hospitable* people are kind-hearted.（好客的人都很好心。）*Charitable.* 在此指 Be *charitable*.（要樂善好施。）It's everybody's duty to be *charitable*.（樂善好施是每個人的責任。）Sharing what you have is being *charitable*.（分享你所擁有的就是樂善好施。）

Helpful. 在此指 Be *helpful*.（要樂於助人。）Always be *helpful* to those in need.（一定要樂於幫助那些窮困的人。）Be a *helpful* person every day.（每天都要樂於助人。）*Obliging.* 在此指 Be *obliging*.（要樂於助人。）Always be *obliging* and willing to help.（一定要願意去幫助他人。）He was a cheerful, *obliging* guy.（他非常樂於助人。）*obliging*（樂於助人的）不要和 obliged（感激的）搞混。*Accommodating.* 在此指 Be *accommodating*.（要樂於助人。）The hotel staff was extremely *accommodating*.（旅館的職員非常樂於助人。）【staff﹝stæf﹞ *n.* 職員】My mom was always so *accommodating* and was eager to help others.（我媽媽總是非常樂於助人，很渴望幫助別人。）【參照「英文一字金②p.3」】

Radiate warmth.（要散發溫暖。）Don't be too busy or shy to *radiate warmth*.（不要太忙或害羞，而不散發溫暖。）*Radiate warmth* to those who need love.（要對那些需要愛的人散發溫暖。）*Indulge others.*（要溺愛別人。）Be careful not to *indulge others* too much. (小心不要太溺愛別人。) Don't spoil or *indulge* your kids too much. (不要寵壞或太溺愛你的小孩。) Grandparents enjoy *indulging* their grandkids. (祖父母喜歡溺愛孫子。) *Share your abundance.*「要分享你所擁有的。」也就是「有福同享。」 (= *Be willing to share things you have.*) 可加長為: *Share your abundance* while you can. (在你能夠時，要分享你所擁有的。) I enjoy *sharing* my *abundance* with others. (我喜歡和他人分享我所擁有的。)

Share your abundance.

1-2【背景説明】

慷慨的人要體貼，要知道別人的需要，才能助人一臂之力。 *Be considerate.* (要體貼。) 可加長為: Always *be considerate* and kind to others. (一定要對別人體貼和親切。) *Be considerate* and care about the feelings of others. (要體貼並在乎別人的感覺。) *Concerned.* 在此指 Be *concerned.* (要關心。) 可加長為: Always be *concerned* about others. (一定要關心別人。) It is important to care and be *concerned* about people. (關心別人是很重要的。) *Thoughtful.* 在此指 Be *thoughtful.* (要體貼。) Always be a helpful, caring, *thoughtful* person. (一定要做一個樂於助人、有愛心，而且體貼的人。) To do good deeds for others is to be *thoughtful.* (為別人做好事就是體貼。)

Mindful. 在此指 Be *mindful.* (要注意。) 引申為「要注意別人的情況。」(= *Be mindful of other people's situations.*) *Mindful* people are popular and well-liked. (小心謹慎的人受人歡迎，深受喜愛。) *Attentive.* 在此指 Be *attentive.* (要注意。) 引申為「要注

意別人的感覺。」(= *Be attentive to the feelings of other people.*)
中文裡，只翻「要注意。」在此無法表達完整的思想。You must
be *attentive* to the needs of others. (你必須注意到別人的需要。)
Sensitive. 在此指 Be *sensitive*. (要體貼。) Be *sensitive*, aware,
and sympathetic to all. (對所有人都要體貼、了解，和同情。)
Showing sympathy and understanding is being *sensitive*. (表現
出同情和了解就是體貼。) *sensitive* 的意思有：①敏感的②體貼的。

　　Concede. (要讓步。) *concede* 的意思有：①讓步②承認。
Sometimes you must accept, allow and *concede*. (有時你必須
接受、允許，和讓步。) Always accept the truth and *concede*
when necessary. (一定要接受事實，必要時要讓步。) Sometimes
when wrong, you must *concede*. (有時候錯了，你就必須承認。)
Compromise. (要妥協。) com + promise，一起答應，就是「妥
協」。Be the kind of person who is able to *compromise*. (要做
一個能妥協的人。) It's often necessary to *compromise* when
people disagree. (當人們意見不同時，常常需要妥協。) *Make
concessions.* (要讓步。) Don't be too proud and refuse to
make concessions. (不要太驕傲，拒絕讓步。) Be willing to
make concessions in life. (在生活中要願意讓步。)

1-3【背景說明】

　　對人慷慨，除了體貼以外，還要很有禮貌。對別人好，更要客
氣，才受人喜愛。*Be polite.* (要有禮貌。) 可說成：Always *be
polite* to others no matter what. (無論發生什麼事，一定要對別人
有禮貌。) It pays to *be polite*. (有禮貌最划得來。) *Courteous.* 在

2. How to Be Popular

此指 Be *courteous*.（要有禮貌。）*courteous* 源自 court（宮廷），在宮廷的人都很有禮貌。A *courteous* man lets a lady go first.（有禮貌的男士總是讓女士優先。）*Respectful*. 在此指 Be *respectful*.（要尊敬他人。）Always be *respectful* to your elders.（一定要對長輩有禮貌。）

respectful

名詞 grace（恩惠；優雅）的形容詞有：① *gracious*（親切的；有禮貌的）② *graceful*（優雅的）。*gracious* 和 *graceful* 意思不同，「親切的；有禮貌的」未必是「優雅的」。A good host is always *gracious*.（好的主人總是很親切。）Her style is *graceful*.（她的風格很優雅。）*Elegant*. 在此指 Be *elegant*.（要優雅。）可說成：Always be *elegant* and show good manners.（一定要優雅，並展現好的禮貌。）*Elegant* people dress well and act politely.（優雅的人穿著得體，很有禮貌。）

Diplomatic. 在此指 Be *diplomatic*.（要有外交手腕。）To communicate well, you must be *diplomatic*.（要好好溝通，你必須要有外交手腕。）Be *diplomatic* to solve problems and conflicts.（解決問題和衝突要有外交手腕。）*Sophisticated*. 在此指 Be *sophisticated*.（要懂得人情世故。）Successful people use *sophisticated* methods to solve problems.（成功的人會用合情合理的方法解決問題。）She's a *sophisticated* woman.（她是個懂得人情世故的女人。）*Well-mannered*. 在此指 Be *well-mannered*.（要有禮貌。）可說成：Being *well-mannered* earns respect.（有禮貌能贏得尊重。）No matter the situation, you must be *well-mannered*.（無論情況如何，你都必須要有禮貌。）

2. *Active. Active. Active.*
要充滿活力。

都有 live	*Be active.* Alive. Lively.	字尾是 ive

要活躍。
要有活力。
要活潑。

字首都是 E	Exciting. Energetic. Enthusiastic.	字尾是 tic

要令人興奮。
要精力充沛。
要熱心。

字首是 Vi	Vital. Vigorous. Dynamic.	同義句

要充滿活力。
要精力充沛。
要有活力。

** ——————

active[2] 〔'æktɪv〕 *adj.* 活躍的
alive[2] 〔ə'laɪv〕 *adj.* 有活力的　　lively[3] 〔'laɪvlɪ〕 *adj.* 活潑的
exciting[2] 〔ɪk'saɪtɪŋ〕 *adj.* 令人興奮的
energetic[3] 〔ˌɛnɚ'dʒɛtɪk〕 *adj.* 精力充沛的
enthusiastic[5] 〔ɪnˌθjuzɪ'æstɪk〕 *adj.* 熱心的
vital[4] 〔'vaɪtl̩〕 *adj.* 非常重要的；充滿活力的
vigorous[5] 〔'vɪgərəs〕 *adj.* 精力充沛的
dynamic[4] 〔daɪ'næmɪk〕 *adj.* 充滿活力的

2. How to Be Popular

| 字首都是 S | *Smile*. Shine. Sparkle. | 字尾都是 e | 要微笑。
要發光、發亮。
要發光、發亮。 |

| gl 表發光 | Glow. Gleam. Glitter. | 同義句 | 要發光。
要發光。
要閃閃發光。 |

| 同義句 | Be dazzling. Brilliant. Radiant. | 字尾是 iant | 要非常耀眼。
要發出光芒。
要容光煥發。 |

**

smile[1] 〔 smaɪl 〕 v. 微笑

shine[1] 〔 ʃaɪn 〕 v. 發光；發亮

sparkle[4] 〔'spɑrkḷ 〕 v. 閃耀   glow[3] 〔 glo 〕 v. 發光

gleam[5] 〔 glim 〕 v. 發微光；閃爍

glitter[5] 〔'glɪtɚ 〕 v. 閃閃發光；閃爍

dazzling[5] 〔'dæzḷɪŋ 〕 adj. 令人目眩的；耀眼的

brilliant[3] 〔'brɪljənt 〕 adj. 燦爛的

radiant[6] 〔'redɪənt 〕 adj. 容光煥發的

同義句	**Be interesting.**	字尾都是 ing	要有趣。
	Amusing.		要風趣。
	Entertaining.		要令人愉快。

都有 Fun	Fun.		要有趣。
	Funny.		要好笑。
	Humorous.		要幽默。

字首是 Pleas	Pleasing.	同義句	要令人愉快。
	Pleasant.		要令人愉快。
	Agreeable.		要令人愉快。

＊＊ ─────────────────

interesting[1] ﹝ˈɪntrɪstɪŋ﹞ *adj.* 有趣的

amusing[4] ﹝əˈmjuzɪŋ﹞ *adj.* 有趣的

entertaining[4] ﹝ˌɛntɚˈtenɪŋ﹞ *adj.* 令人愉快的；有趣的

fun[1] ﹝fʌn﹞ *adj.* 有趣的

funny[1] ﹝ˈfʌnɪ﹞ *adj.* 好笑的

humorous[3] ﹝ˈhjumərəs﹞ *adj.* 幽默的

pleasing[1] ﹝ˈplizɪŋ﹞ *adj.* 令人愉快的

pleasant[2] ﹝ˈplɛzn̩t﹞ *adj.* 令人愉快的

agreeable[4] ﹝əˈgriəbl̩﹞ *adj.* 令人愉快的

2-1【背景説明】

要讓別人喜歡你，一定要有精神、主動、積極。*Be active.*（要活躍。）*active* 的意思有：①活躍的②主動的③積極的。Be an *active* person.（要做一個活躍的人。）Try to be *active* all day long.（要儘量整天都有活力。）Be *active* to live a long healthy life.（要有活力，過著健康長壽的生活。）*Alive.* 在此指 Be *alive*.（要有活力。）Look *alive*.（要看起來有活力。）Act like you're *alive*.（行爲舉止要像是個活人。）*Lively.* 在此指 Be *lively*.（要活潑。）*Lively* friends are fun to be around.（和活潑的朋友在一起很有趣。）(= *Friends who are lively are fun.*) *Lively* people have lots of energy.（活潑的人有很多精力。）

Exciting. 在此指 Be *exciting*.（要令人興奮。）Her *exciting* speech caused many to stand and cheer.（她令人興奮的演講使很多人站起來歡呼。）I like *exciting* action movies the best.（我最喜歡令人興奮的動作片。）*Energetic.* 在此指 Be *energetic*.（要精力充沛。）It always benefits one to be *energetic*.（精力充沛總是對一個人有好處。）An *energetic* lifestyle is healthy.（精力充沛的生活方式有益健康。）*Enthusiastic.* 在此指 Be *enthusiastic*.（要熱心。）To succeed, you must be *enthusiastic*.（要成功，你一定要熱心。）Teachers love *enthusiastic* students.（老師喜愛熱心的學生。）

Vital. 在此指 Be *vital*.（要充滿活力。）*vital* 的意思有：
①非常重要的②充滿活力的。Hard work is *vital* to success.
（努力工作是成功的必要條件。）（= *Hard work is essential to
success.*）*vital* 大部份都是指「非常重要的」，在此指「充滿活
力的」（= *full of energy and life*）。He is young, *vital*, and
handsome.（他年輕、有活力，又很帥。）*Vigorous.* 在此指
Be *vigorous*.（要精力充沛。）Healthy food and daily
exercise will keep you *vigorous*.（健康的食物和每天運動會
使你一直精力充沛。）Strong, active people are usually
vigorous.（強壯、活躍的人通常精力充沛。）*Dynamic.* 在此
指 Be *dynamic*.（要有活力。）（= *Be a dynamic person.*）
Most leaders are *dynamic*.（大多數的領導者都很有活力。）
My boss is a *dynamic* woman.（我的老闆是一位充滿活力的
女士。）

2-2【背景說明】

　　活躍的人不能張牙舞爪，一定要笑，發光、發亮。*Smile.*
（要微笑。）可說成：*Smile* a lot, and people will like you.
（要讓別人喜歡你就要常笑。）*Smile* and the
whole world *smiles* with you.（如果你笑，全
世界都跟著你笑。）（= *If you greet people with
a smile, they will smile back.*）*Shine.*（要發光、發亮。）She
shines when she is greeting people.（當她和別人打招呼時，
她閃閃發亮。）She has a personality that *shines*.（她有開朗
的個性。）（= *She is a very happy person.*）*Sparkle.*（要發光、

發亮。) Her conversation *sparkled* all evening. (她的談話
使整個晚上都發亮。) He has eyes that *sparkle*. (他的眼睛會
發亮。)

Glow. (要發光。) *Glow* like a full moon. (要像滿月
一樣地發光、發亮。) *Glow* with pride wherever you go.
(無論你去哪裡，都要散發出自豪的光芒。) *Gleam*. (要發
光。) *Gleam* every day like a diamond. (每天都要像鑽石
一樣閃閃發光。) (= *Gleam every day like a star.*) *Gleam*
like the sun. (要像太陽一樣發出光芒。) Have a *gleaming*
appearance. (外表要閃閃發光。) *Glitter*. (要閃閃發光。)
When she talks, she *glitters* like a star at night. (當她說
話時，她就像是夜晚的星星閃閃發光。)

Be dazzling. (要非常耀眼。) *Be dazzling* in appearance.
(外表要非常耀眼。) *Be a dazzling* person. (要做一個光芒
四射的人。) Try to be *dazzling* in your action. (你的所做
所為要使人震撼。) Always give a *dazzling* impression. (一
定要給人一個震撼的印象。) *Brilliant*. 在此指 Be *brilliant*.
(要發出光芒。) Her hairstyle was *brilliant*. (她的髮型非
常亮麗。) Try to have a *brilliant* appearance. (要努力擁
有亮麗的外表。) She had a *brilliant* smile. (她有燦爛的笑
容。) *Radiant*. 在此指 Be *radiant*. (要容光煥發。) Be
radiant and alive in all you do. (你做什麼事都要容光煥發、

有活力。) Be a bright and *radiant* person. (要做一個光芒四射、容光煥發的人。) Have a *radiant* and energetic personality. (要有光芒四射、精力充沛的個性。)

2-3【背景説明】

　　活躍的人除了要笑、發光、發亮以外，更要風趣、幽默。*Be interesting*. (要有趣。) 可説成：*Be interesting* in conversation, and you'll have many friends. (談話時很有趣，你就會有很多朋友。) *Be interesting*, and people will enjoy your company. (如果你很有趣，人們就會喜歡和你在一起。)【company〔ˈkʌmpənɪ〕*n.* 公司；陪伴】*Amusing*. 在此指 Be *amusing*. (要風趣。) You should be *amusing* and interesting. (你應該要風趣又有趣。) To be popular, you have to be an *amusing* talker. (要受歡迎，你就必須說話風趣。) *Entertaining*. 在此指 Be *entertaining*. (要令人愉快。) 可加強語氣説成：Be *entertaining* and fun to be with. (和他人相處要令人愉快又有趣。) Be *entertaining* and enjoyable to be around, and people will like you. (和別人在一起要非常令人愉快，這樣大家就會喜歡你。)

　　Fun. 在此指 Be *fun*. (要有趣。) Be *fun* to be around. (和人在一起要有趣。) (= *Be fun to be with*.) Be *fun* to hang out with, and you'll always be popular. (如果和你在一起玩很有趣，你就一定會受人歡迎。)【*hang out with* 和…在一起玩】*Funny*. 在此指 Be *funny*. (要好笑。) Be *funny* in

what you say and do. (不管你說什麼和做什麼，都要好笑。)
Be *funny* and friendly to be a popular person. (要做一個受歡
迎的人，就要好笑又友善。) *Humorous*. 在此指 Be *humorous*.
(要幽默。) Try to be *humorous* to make others happy. (要
儘量幽默，讓別人快樂。) Be *humorous* and witty. (要幽默又
風趣。)【witty〔ˈwɪtɪ〕*adj.* 風趣的】

    Pleasing. 在此指 Be *pleasing*. (要令人愉快。) Be
pleasing and hospitable to visitors. (要熱情款待客人，使他們
愉快。) Be *pleasing* and humorous, and you'll always be
popular. (如果你令人愉快又幽默，一定會受人歡迎。) *Pleasant*.
在此指 Be *pleasant*. (要令人愉快。) Be *pleasant* and polite
no matter what happens. (無論發生什麼事，都要讓人愉快又
有禮貌。) Try to be *pleasant* and respectful to everyone.
(要儘量令每一個人愉快又受到尊敬。) *Agreeable*. 在此指 Be
agreeable. (要令人愉快。) Be an *agreeable* person, and
never, ever argue. (要做一個令人愉快的人，絕不要和人爭
吵。) Always try to be *agreeable* in manner and dress. (在
態度和穿著上，一定要儘量令人愉快。) Be *agreeable* with
others, and you'll be well liked. (如果你能愉快地和別人相
處，就會讓人喜愛。) *Pleasing*. *Pleasant*. *Agreeable*. 這三句
話很重要，口中說出較深的單字，會讓別人覺得你很有學問，
像是美國教授說的話。

3. *Compliment. Compliment. Compliment.* 稱讚、稱讚、稱讚。

同義句	*Compliment.*	要稱讚。
	Praise.	要稱讚。
	Flatter.	要會奉承。

字首都是 App	Applaud.	要鼓掌。
	Approve.	要贊成。
	Appreciate.	要欣賞。

	Admire. 字尾是 ire	要欽佩。
	Inspire.	要激勵別人。
	Congratulate.	要祝賀。

** ————————————

compliment[5] 〔'kɑmplə‚mɛnt 〕 *v.* 稱讚
praise[2] 〔 prez 〕 *v.* 稱讚　　flatter[4] 〔'flætɚ 〕 *v.* 奉承；恭維地誇獎
applaud[5] 〔 ə'plɔd 〕 *v.* 鼓掌；讚美；誇獎 【也有美國人唸〔 ə'plɑd 〕】
approve[3] 〔 ə'pruv 〕 *v.* 贊成；贊許
appreciate[3] 〔 ə'priʃɪ‚et 〕 *v.* 欣賞
admire[3] 〔 əd'maɪr 〕 *v.* 欽佩　　inspire[4] 〔 ɪn'spaɪr 〕 *v.* 激勵
congratulate[4] 〔 kən'grætʃʊ‚let 〕 *v.* 恭喜；祝賀

2. How to Be Popular

	Be sincere.	要眞誠。
字首是 Hon	**Honest.**	要誠實。
	Honorable.	要值得尊敬。

字首是 Tru	**True.**	要眞實。
	Truthful.	要眞實。
	Frank.	要坦白。

同義句	**Real.**	要眞實。
	Genuine.	要眞誠。
	Authentic.	要眞誠，不要虛假。

**

sincere³〔sɪn'sɪr〕*adj.* 眞誠的

honest²〔'ɑnɪst〕*adj.* 誠實的

honorable⁴〔'ɑnərəbḷ〕*adj.* 光榮的；
　　值得尊敬的　　**true¹**〔tru〕*adj.* 眞實的

honorable

truthful³〔'truθfəl〕*adj.* 眞實的；誠實的

frank²〔fræŋk〕*adj.* 坦白的　　**real¹**〔'riəl〕*adj.* 眞實的

genuine⁴〔'dʒɛnjʊɪn〕*adj.* 眞正的；眞實的

authentic⁶〔ɔ'θɛntɪk〕*adj.* 眞正的；眞實的

2. How to Be Popular

	字首是 P		
	Be optimistic. 〕同		要樂觀。
	Positive. 〕義句		要樂觀。
	Promising.		要有希望。

同義句	Sunny.		要開朗。
	Bright.		要開朗。
	Hopeful. 〕字尾是 ful		要充滿希望。
字首都是 C	Cheerful.		要快樂。
	Confident.		要有自信。
	Carefree.		要無憂無慮。

**

optimistic³ 〔͵ɑptə'mɪstɪk 〕 *adj.* 樂觀的
positive² 〔'pɑzətɪv 〕 *adj.* 樂觀的
promising⁴ 〔'prɑmɪsɪŋ 〕 *adj.* 有希望的；有前途的
sunny² 〔'sʌnɪ 〕 *adj.* 開朗的；快樂的
bright¹ 〔 braɪt 〕 *adj.* 開朗的；活潑的；快樂的
hopeful⁴ 〔'hopfəl 〕 *adj.* 充滿希望的
cheerful³ 〔'tʃɪrfəl 〕 *adj.* 快樂的
confident³ 〔'kɑnfədənt 〕 *adj.* 充滿自信的
carefree⁵ 〔'kɛr͵fri 〕 *adj.* 無憂無慮的

confident

2. How to Be Popular

3-1【背景說明】

　　每天都不要忘記，人前、人後都要稱讚，被稱讚的人，一定會喜歡你。*Compliment.*（要稱讚。）可說成：*Compliment* others often.（要常常稱讚別人。）Never miss the chance to *compliment.*（絕對不要錯過稱讚的機會。）*compliment* 也可當名詞，如：Give *compliments* to please people.（要稱讚別人，讓人高興。）*Praise.*（要稱讚。）*Praise* others when you can.（要儘可能稱讚別人。）*Praise* as often as you can.（要儘量常常稱讚別人。）*Flatter.*（要會奉承。）*flatter* 的意思是「奉承；諂媚」，也可作「誇獎」解。*Flatter* people with sincere compliments.（要用真誠的稱讚來誇獎大家。）

　　Applaud.（要鼓掌。）*Applaud* all who try hard.（要對所有努力的人鼓掌喝采。）I *applaud* you for your achievements.（我要為你的成就鼓掌。）The audience *applauded* the speaker in approval.（觀眾給演講者鼓掌表示認同。）*applaud* 的主要意思是「鼓掌」，也可作「誇獎；稱讚」解。*Approve.*（要贊成。）可說成：*Approve* of diligent efforts.（要贊同辛勤的努力。）I *approve* of what you do.（我贊成你所做的。）*approve* 的名詞是 approval，如：Show approval to be well liked.（表示贊同就會被喜愛。）*approve* 的主要意思是「贊成」，也可作「贊許；讚美」解。*Appreciate.*（要欣賞。）*Appreciate* honesty.（要欣賞誠實。）*Appreciate* hard work.（要欣賞努力工作。）*Appreciate* the little things in life and be grateful.（要欣賞生活中的小事物，並心存感激。）

　　Admire.（要欽佩。）*Admire* honest and reliable people.（要欽佩誠實而且可靠的人。）Be a person others *admire* and respect.（要做一個讓人欽佩與尊敬的人。）*Inspire.*（要激勵別人。）*Inspire* with kind words. （要說好聽的話來激勵別人。）*Inspire* people to achieve more. （要激勵人們完成更多的事。）*Congratulate.* （要祝賀。）*Congratulate* others as much as you can. （要儘量多祝賀別人。）I *congratulate* any achievement, big or small. （任何大、小成就我都會祝賀。）

3-2【背景説明】

稱讚別人，一定要眞誠，不能虛假。*Be sincere.* （要眞誠。）Always *be sincere* and honest in what you say. （說話一定要眞誠和誠實。）*Be sincere* in every conversation you have. （每次和別人說話都要眞誠。）*Honest.* 在此指 Be *honest*. （要誠實。）Be *honest* and truthful no matter what. （無論如何都要眞誠。）Being *honest* is the most important thing. （誠實是最重要的事。）*Honorable.* 在此指 Be *honorable*. （要值得尊敬。）Be known as an *honorable* person. （要被公認是個值得尊敬的人。）Be *honorable* and have a good character. （要值得尊敬，並且有好的性格。）

True. 在此指 Be *true*. （要眞實。）*true* 的意思有：①眞實的 ②忠實的。Always be *true* to your family, country, and friends. （永遠要忠於你的家庭、國家，和朋友。）Always be *true* to yourself. （一定要忠於自己。）(= *Don't fool yourself.* 不要騙自己。）*Truthful.* 在此指 Be *truthful*. （要眞實。）Be *truthful* to win the respect of others. （要眞實地贏得別人的尊敬。）Always be *truthful* in every situation. （在每一種情況都一定要眞實。）Be *truthful* when dealing with others. （和別人來往時要眞實。）

Frank. 在此指 Be *frank.*（要坦白。）Be *frank* and straightforward.（要坦白直率。）When discussing serious matters, you must be *frank.*（當討論嚴肅的事情時，你必須要坦白。）

Real. 在此指 Be *real.*（要眞實。）Be *real*, not fake.（要眞實，不要虛假。）Be *real* in your concern for others.（對別人的關心要眞實。）*Genuine.* 在此指 Be *genuine.*（要眞誠。）Be *genuine* with others.（對別人要眞誠。）(= *Show real concern.*) Be *genuine* and sincere when you're with people.（和別人在一起時，要非常眞誠。）*Authentic.* 在此指 Be *authentic.*（要眞誠，不要虛假。）Everyone admires *authentic* people.（每個人都欽佩眞誠的人。）Be *authentic*; never pretend.（要眞誠；絕不要假裝。）

3-3【背景説明】

稱讚別人，除了眞誠以外，還要朝樂觀的方向去想，看別人好的一面。*Be optimistic.*（要樂觀。）It's a great asset to *be optimistic.*（樂觀是一項很大的資產。）【assest (ˈæsɛt) *n.* 資產】You must work hard and *be optimistic* about the future.（你必須努力工作，並對未來樂觀。）*Positive.* 在此指 Be *positive.*（要樂觀。）Everyone likes to be around *positive* people.（每個人都喜歡和樂觀的人在一起。）*Positive* people are hopeful, confident, and kind.（樂觀的人充滿希望、有自信，又親切。）*Promising.* 在此指 Be *promising.*（要有希望。）To be *promising* is to be confident of future success.（有希望就是對未來的成功有信心。）Always be a *promising* person.（一定要做一個有前途的人。）

Sunny. 在此指 Be *sunny.*（要開朗。）Have a *sunny* personality.（要有開朗的個性。）Be a cheerful and *sunny* person.（要做一個快樂又開朗的人。）Try to be a *sunny* person even on bad days.（即使在有困難的時候，也要努力做一個開朗的人。）*Bright.* 在此指 Be *bright.*（要開朗。）Always have a *bright* personality and outlook.（一定要有開朗的個性和看法。）Smile a lot and show your *bright* side.（要常笑，並表現出你開朗的一面。）*Hopeful.* 在此指 Be *hopeful.*（要充滿希望。）Always be *hopeful* about the future.（一定要對未來充滿希望。）If you work hard and are *hopeful*, the future will be bright.（如果你努力工作並充滿希望，就會有光明的未來。）

Cheerful. 在此指 Be *cheerful.*（要快樂。）Popular people are happy and *cheerful.*（受歡迎的人都是非常快樂的。）Be a *cheerful* person to have many friends.（要做一個快樂的人，才會有很多朋友。）*Confident.* 在此指 Be *confident.*（要有自信。）You must be *confident* in your abilities.（你必須對你的能力有信心。）Be *confident* and trust in yourself.（要有自信，相信自己。）*Carefree.* 在此指 Be *carefree.*（要無憂無慮。）Sometimes it's OK to be *carefree.*（有時候無憂無慮沒關係。）When helping others, be *carefree* and worry free.（當幫助別人時，要無憂無慮，不要擔心。）【free〔frɪ〕*adj.* 沒有…的；免除…的】Don't be shy when meeting new people; be *carefree.*（當認識新朋友時，不要害羞；要無憂無慮。）
樂觀的人很快樂、有自信，又無憂無慮。

2. How to Be Popular

4. *Forgive.* *Forgive.* *Forgive.*
原諒、原諒、原諒。

字首是 Forg	*Forgive.*	要原諒。
	Forget.	要忘記。
同義句	Excuse.	要原諒。
	Pardon.	要原諒。
同義句	Ignore.	要忽視。
	Disregard.	要忽視。
三個形容詞	Be forgiving.	要原諒別人。
	Tolerant.	要寬容。
	Merciful.	要慈悲為懷。

**　＊＊**

forgive² 〔 fə'gɪv 〕 v. 原諒　　forget¹ 〔 fə'gɛt 〕 v. 忘記
excuse² 〔 ɪk'skjuz 〕 v. 原諒；寬恕
pardon² 〔'pardn 〕 v. 原諒；寬恕　　ignore² 〔 ɪg'nor 〕 v. 忽視
disregard⁶ 〔,dɪsrɪ'gard 〕 v. 忽視
forgiving² 〔 fə'gɪvɪŋ 〕 adj. 原諒別人的；寬大的
tolerant⁴ 〔'talərənt 〕 adj. 寬容的；容忍的
merciful⁴ 〔'mɝsɪfəl 〕 adj. 慈悲的；仁慈的；寬大的；寬容的

同義句	*Apologize.*	要道歉。
	Make an apology.	要道歉。
	Express remorse.	要表示後悔。

字首是 S	Say sorry.	要說抱歉。
	Show regret.	要表示後悔。
	Ask forgiveness.	要請求原諒。

同義句	Admit mistakes.	要承認錯誤。
	Errors.	要承認錯誤。
	Guilt.	要承認有罪。

**

apologize⁴ 〔 ə'pɑlə,dʒaɪz 〕 v. 道歉
apology⁴ 〔 ə'pɑlədʒɪ 〕 n. 道歉
express² 〔 ɪk'sprɛs 〕 v. 表達；表示
remorse 〔 rɪ'mors 〕 n. 懊悔；悔恨

make an apology 道歉

sorry¹ 〔'sɔrɪ 〕 interj. 抱歉；對不起　　show¹ 〔 ʃo 〕 v. 表示
regret³ 〔 rɪ'grɛt 〕 n. 後悔；遺憾　　ask¹ 〔 æsk 〕 v. 請求
forgiveness² 〔 fə'gɪvnɪs 〕 n. 原諒
admit³ 〔 əd'mɪt 〕 v. 承認　　mistake¹ 〔 mə'stek 〕 n. 錯誤
error² 〔'ɛrə 〕 n. 錯誤　　guilt⁴ 〔 gɪlt 〕 n. 罪；有罪

2. How to Be Popular

字首是 M	*Be gentle.*	同義句		要溫和。
	Mild.			要溫和。
	Moderate.			要適度。

字首是 P	Calm.	同義句		要冷靜。
	Peaceful.			要平靜。
	Patient.			要有耐心。

S 之後是 T	Soft.	同義句		要溫柔。
	Tender.			要溫柔。
	Humane.			要有人情味。

**

gentle² 〔ˋdʒɛntḷ〕 *adj.* 溫和的

mild⁴ 〔maɪld〕 *adj.* 溫和的

moderate⁴ 〔ˋmɑdərɪt〕 *adj.* 適度的；溫和的

calm² 〔kɑm〕 *adj.* 冷靜的

peaceful² 〔ˋpisfəl〕 *adj.* 平靜的

patient² 〔ˋpeʃənt〕 *adj.* 有耐心的

soft¹ 〔sɔft〕 *adj.* 柔軟的；溫柔的

tender³ 〔ˋtɛndɚ〕 *adj.* 溫柔的

humane 〔hjuˋmen〕 *adj.* 有人情味的；人道的

peaceful

4-1【背景說明】

要讓別人喜歡你，最重要的一點，就是要有寬大的心胸，原諒別人。*Forgive.*（要原諒。）Always be willing to *forgive* others.（一定要願意原諒別人。）Learn to *forgive* and forget.（要學會既往不咎。）*Forget.*（要忘記。）When trouble has passed, *forget* about it.（當麻煩過去時，就忘掉吧。）*Forget* troubles and worries; focus on the here and now.（要忘掉困難和煩惱；要專注於此時此地。）*Excuse.*（要原諒。）Be willing to *excuse* others for their mistakes.（要願意原諒別人的錯誤。）Overlook and *excuse* minor mistakes.（要忽視並原諒小的錯誤。）

Pardon.（要原諒。）Always *pardon* others when their apology is sincere.（當別人真心道歉時，一定要原諒。）It's seldom easy but very beneficial to *pardon* others.（原諒別人不太容易，但非常有好處。）*Ignore.*（要忽視。）*Ignore* the little things in life.（要忽視生活中的小事。）*Ignore* minor mistakes and shortcomings.（要忽視小錯誤和缺點。）*Disregard.*（要忽視。）Smart people *disregard* complainers.（聰明的人會忽視抱怨的人。）Never *disregard* the advice of a friend.（絕不要忽視朋友的勸告。）

Be forgiving.（要原諒別人。）(= *Be a forgiving person.*) To *be forgiving* is the greatest quality.（能原諒別人是最棒的特質。）It's healthy and beneficial to *be forgiving*.（能原諒別人有益健康又有好處。）*Tolerant.* 在此指 Be *tolerant*.（要寬容。）Be *tolerant* of opinions different from yours.（要容忍和你不同的

意見。）Be an open-minded and *tolerant* person.（要做一個心胸非常寬大的人。）*Merciful.* 在此指 Be *merciful.*（要慈悲爲懷。）Try to be a compassionate and *merciful* person.（要努力做一個有同情心，慈悲爲懷的人。）Many religions teach followers to be *merciful.*（許多宗教教導他們的信徒要慈悲爲懷。）

4-2【背景說明】

要原諒別人，自己有錯，也要道歉。*Apologize.*（要道歉。）Never be afraid to *apologize.*（絕不要害怕道歉。）Be quick to *apologize* when mistaken.（當你犯錯時，要趕快道歉。）*Make an apology.*（要道歉。）Always *make an apology* when necessary.（必要時一定要道歉。）Be willing to *make an apology* when wrong.（當你錯的時候，要願意道歉。）*Express remorse.*（要表示後悔。）It's important to *express remorse* when you're sorry.（當你對不起人家時，表示後悔是很重要的。）Always *express remorse* when your mistake affects another person.（當你的錯誤影響到另一個人時，一定要表示後悔。）

Say sorry.（要說抱歉。）(= *Say you're sorry.*) Apologize and *say sorry* when you're mistaken.（當你犯錯時，要道歉並說抱歉。）Confident people are never afraid to *say sorry.*（有自信的人絕不會害怕說抱歉。）*Show regret.*（要表示後悔。）*Show regret* by giving a sincere apology.（要用眞誠的道歉表示後悔。）

2. How to Be Popular

Show regret by lowering your head.（要低頭表示後悔。）*Show regret* by bowing to another.（要向人鞠躬表示後悔。）*Ask forgiveness.*（要請求原諒。）It's better to quickly *ask forgiveness.*（最好要快點請求原諒。）Never be too proud to *ask forgiveness.*（絕不要太驕傲而不願意請求原諒。）

Admit mistakes.（要承認錯誤。）*Admit mistakes*, learn from them, and move on.（要承認錯誤，從中學習，並繼續前進。）Don't be ashamed to *admit mistakes.*（承認錯誤不要覺得丟臉。）*Errors.* 在此指 Admit *errors.*（要承認錯誤。）Be quick to admit *errors* and mistakes.（要快點承認錯誤。）Quickly admit *errors* and apologize.（要快點承認錯誤並道歉。）*Guilt.* 在此指 Admit *guilt.*（要承認有罪。）It's good to admit *guilt* when you're guilty.（當你有罪時，最好要承認有罪。）When mistaken, admit your *guilt.*（當你犯錯時，要承認有罪。）guilt 不加 s，但 mistake 和 error 要加 s。guilt 的形容詞是 guilty（有罪的），不要搞混。

4-3【背景說明】

原諒別人、道歉，一定要表現出溫和的態度。*Be gentle.*（要溫和。）Always *be gentle* and pleasant.（一定要溫和並讓人愉快。）*Be gentle*, never harsh or stern.（要溫和，絕不要嚴厲。）*Mild.* 在此指 Be *mild.*（要溫和。）Be *mild*, polite, and humble.（要溫和、有禮貌，又謙虛。）Deal with people in a *mild* way.（要用溫和的方式和人交往。）*Moderate.* 在此指

Be *moderate*. (要適度。) *moderate* 的意思有：①適度的②溫和的。Don't be excessive—be a *moderate* person. (不要過度——要做一個溫和的人。) Always try to be *moderate*, and do things in moderation. (一定要溫和，做事要適度。)【 *in moderation* 適度地】

Calm. 在此指 Be *calm*. (要冷靜。) Try to be *calm* in any emergency. (在任何緊急情況都要努力保持冷靜。)【emergency〔 ɪˈmɝdʒənsɪ 〕*n.* 緊急情況】Always have a *calm* manner. (一定要有冷靜的態度。) *Peaceful*. 在此指 Be *peaceful*. (要平靜。) Be a pleasant and *peaceful* kind of person. (要做一個令人愉快而且平和的人。) Have a *peaceful* personality. (要有平靜的個性。) *Patient*. 在此指 Be *patient*. (要有耐心。) Try to be *patient* and understanding with people. (儘量要對人有耐心而且懂得體諒。) Being *patient* is a virtue. (有耐心是一種美德。)【 virtue〔ˈvɝtʃʊ 〕*n.* 美德】

Soft. 在此指 Be *soft*. (要溫柔。) Be *soft* and quiet as much as possible. (要儘量溫柔又安靜。) Be *soft* and gentle when dealing with elderly people. (和老人交往時要溫柔而且溫和。) *Tender*. 在此指 Be *tender*. (要溫柔。) Always be kind-hearted and *tender*. (一定要好心又溫柔。) Gentle people are very *tender* and calm. (溫和的人非常溫柔和冷靜。) *Humane*. 在此指 Be *humane*. (要有人情味。) It is important to be *humane* to everyone. (重要的是，對每個人都要有人情味。) *Humane* people are popular and well-liked. (有人情味的人受人歡迎而且喜愛。) *humane*〔hjuˈmen 〕的意思有：①人道的②仁慈的③有人情味的。

【How to Be Popular 結尾語】

都有 That

That's my advice.
那就是我的建議。
That concludes my speech.
我的演講到此結束。
That's all I have to say.
那就是我要說的。

Thanks for listening.
謝謝你們的聆聽。

都有 been

It's been a pleasure. 我很高興。
You've been a great audience.
你們是很棒的聽眾。

Now go make friends.
現在就去交朋友吧。

都有 Become

Become more popular.
你們會變得更受歡迎。
Become a happier you!
你們會變得更快樂！

要受人歡迎的祕訣： 1. 要慷慨。 2. 要有活力。
3. 要稱讚別人。 4. 要原諒別人。

How to Be Popular 結尾語【背景説明】

That's my advice.（那就是我的建議。）可説成：*That's my advice* for you today.（那是我今天給你們的建議。）Those are my suggestions.（那些是我的建議。）*That concludes my speech.*（我的演講到此結束。）可説成：That's it.（就這樣。）That's the end of my speech.（我的演講到此結束。）My speech is finished.（我的演講結束了。）*That's all I have to say.*（那就是我要說的。）（= *That's all that I wanted to say.*）

Thanks for listening.（謝謝你們的聆聽。）可説成：Thank you for listening so well.（謝謝你們這麼認真聽。）（= *Thank you for your attention.*）*It's been a pleasure.*（我很高興。）（= *It's been a joy.*）可説成：*It's been* my great *pleasure.*（我非常高興。）*You've been a great audience.*（你們是很棒的聽衆。）（= *You've been great listeners.*）

Now go make friends.（現在就去交朋友吧。）（= *Now go and make friends.*）可説成：*Now* it's time for you all to *go* out and *make friends*.（現在是你們大家該出去交朋友的時候了。）*Become more popular.*（你們會變得更受歡迎。）（= *You can now become more popular.*）*Become a happier you!*（你們會變得更快樂！）（= *You can now become a much happier person!*）*a happier you* 字面的意思是「一個更快樂的你」，也就是「一個更快樂的人」（= *a happier person*）。

演講精彩與否，完全在內容和表達，最高的境界是，讓觀衆站起來替你鼓掌。可以事先安排幾位粉絲，率先站起來，也可以讓司儀用手勢暗示大家起立鼓掌。

2. *How to Be Popular*

Edward Stephanie

【開場白】

Hello, everyone.
哈囉，大家好。
So happy to see you.
很高興見到你們。
So honored to be here.
很榮幸能來到這裡。

I have great advice.
我有很棒的建議。
I'm here to share it.
我來這裡是要來分享。
Please lend me your ears.
請聽我說。

Want to be liked?
想要受人喜愛嗎？
Want many friends?
想要有很多朋友嗎？
Here's how to be popular.
以下就是如何受人歡迎的方法。

1. Generous. Generous. Generous.

Be generous. 要慷慨。
Hospitable. 要好客。
Charitable. 要樂善好施。

Helpful. 要樂於助人。
Obliging. 要樂於助人。
Accommodating. 要樂於助人。

Radiate warmth. 要散發溫暖。
Indulge others. 要溺愛別人。
Share your abundance. 有福同享。

Be considerate. 要體貼。
Concerned. 要關心。
Thoughtful. 要體貼。

Mindful. 要注意別人的情況。
Attentive. 要注意別人的感覺。
Sensitive. 要體貼。

Concede. 要讓步。
Compromise. 要妥協。
Make concessions. 要讓步。

Be polite. 要有禮貌。
Courteous. 要有禮貌。
Respectful. 要尊敬他人。

Gracious. 要親切。
Graceful. 要優雅。
Elegant. 要優雅。

Diplomatic. 要有外交手腕。
Sophisticated. 要懂得人情世故。
Well-mannered. 要有禮貌。

2. How to Be Popular

2. *Active. Active. Active.*

Be active. 要活躍。
Alive. 要有活力。
Lively. 要活潑。

Exciting. 要令人興奮。
Energetic. 要精力充沛。
Enthusiastic. 要熱心。

Vital. 要充滿活力。
Vigorous. 要精力充沛。
Dynamic. 要有活力。

Smile. 要微笑。
Shine. 要發光、發亮。
Sparkle. 要發光、發亮。

Glow. 要發光。
Gleam. 要發光。
Glitter. 要閃閃發光。

Be dazzling.
要非常耀眼。
Brilliant. 要發出光芒。
Radiant. 要容光煥發。

Be interesting. 要有趣。
Amusing. 要風趣。
Entertaining. 要令人愉快。

Fun. 要有趣。
Funny. 要好笑。
Humorous. 要幽默。

Pleasing. 要令人愉快。
Pleasant. 要令人愉快。
Agreeable. 要令人愉快。

3. *Compliment. Compliment. Compliment.*

Compliment. 要稱讚。
Praise. 要稱讚。
Flatter. 要會奉承。

Applaud. 要鼓掌。
Approve. 要贊成。
Appreciate. 要欣賞。

Admire. 要欽佩。
Inspire. 要激勵別人。
Congratulate. 要祝賀。

Be sincere. 要眞誠。
Honest. 要誠實。
Honorable. 要值得尊敬。

True. 要眞實。
Truthful. 要眞實。
Frank. 要坦白。

Real. 要眞實。
Genuine. 要眞誠。
Authentic. 要眞誠，不要虛假。

Be optimistic. 要樂觀。
Positive. 要樂觀。
Promising. 要有希望。

Sunny. 要開朗。
Bright. 要開朗。
Hopeful. 要充滿希望。

Cheerful. 要快樂。
Confident. 要有自信。
Carefree. 要無憂無慮。

4. *Forgive. Forgive. Forgive.*

Forgive. 要原諒。
Forget. 要忘記。
Excuse. 要原諒。

Pardon. 要原諒。
Ignore. 要忽視。
Disregard. 要忽視。

Be forgiving. 要原諒別人。
Tolerant. 要寬容。
Merciful. 要慈悲為懷。

Apologize. 要道歉。
Make an apology. 要道歉。
Express remorse. 要表示後悔。

Say sorry. 要說抱歉。
Show regret. 要表示後悔。
Ask forgiveness. 要請求原諒。

Admit mistakes. 要承認錯誤。
Errors. 要承認錯誤。
Guilt. 要承認有罪。

Be gentle. 要溫和。
Mild. 要溫和。
Moderate. 要適度。

Calm. 要冷靜。
Peaceful. 要平靜。
Patient. 要有耐心。

Soft. 要溫柔。
Tender. 要溫柔。
Humane. 要有人情味。

【結尾語】

That's my advice.
那就是我的建議。
That concludes my speech.
我的演講到此結束。
That's all I have to say.
那就是我要說的。

Thanks for listening.
謝謝你們的聆聽。
It's been a pleasure.
我很高興。
You've been a great audience.
你們是很棒的聽眾。

Now go make friends.
現在就去交朋友吧。
Become more popular.
你們會變得更受歡迎。
Become a happier you!
你們會變得更快樂！

2. How to Be Popular

【作文範例】

How to Be Popular

Here's how to be popular. *Firstly*, we must be generous, hospitable, and charitable to others. We should be helpful, obliging, and accommodating with friends and strangers. We need to radiate warmth, indulge others, and share our abundance. *Similarly*, we must be considerate, concerned, and thoughtful of our friends. We ought to be mindful, attentive, and sensitive to what others are saying. We must concede, compromise, and make concessions to friends who are in need. *Also*, we should be polite, courteous, and respectful to everyone. We must be gracious, graceful, and elegant when presenting ourselves. We need to be diplomatic, sophisticated, and well-mannered towards everybody.

Secondly, we must be active, alive, and lively when doing activities. We should be exciting, energetic, and enthusiastic when we talk to people. We must be vital, vigorous, and dynamic whenever we are with others. *Equally important*, we must always smile, shine, and sparkle. We should glow, gleam, and glitter when we're in public. We must be dazzling to be liked. We must be brilliant and radiant to attract others. *Next*, we need to be interesting, amusing, and entertaining with everyone we meet. We must be fun, funny, and humorous to have others enjoy our company. It is also important to be pleasing, pleasant, and agreeable.

Thirdly, we must compliment. We should compliment, praise, and flatter others to make friends. We should applaud, approve, and appreciate our friends' hard work. It is vital to admire, inspire, and congratulate to show our appreciation.

Moreover, we need to be sincere, honest, and honorable with everyone. It is very important to be true, truthful, and frank with ourselves. If we are always real, genuine, and authentic with everyone, they will like us. *Furthermore*, we must also be optimistic, positive, and promising to everyone. It is essential to be sunny, bright, and hopeful whenever we are talking to someone. We must be cheerful, confident, and carefree to live a fulfilling life.

Finally, we must always forgive. We must forgive, forget, and excuse when others apologize. We should pardon, ignore, and disregard others' wrongdoings. We need to be forgiving, tolerant, and merciful to keep friendships. *By the way*, we must apologize, make an apology, and express our remorse when we're in the wrong. We must say sorry, show regret, and ask forgiveness for our malicious actions. It is important to admit mistakes, errors, and guilt when we mess up. *In addition*, we should also be gentle, mild, and moderate with everyone. We should be calm, peaceful, and patient with everyone we meet. We must be soft, tender, and humane to be loved. If we follow these words, we will become popular.

【 翻譯 】

如何受人歡迎

以下就是如何受人歡迎的方法。首先，我們對別人必須慷慨、好客，而且樂善好施。對朋友和陌生人，我們都應該願意幫忙、非常親切，而且樂於助人。我們必須散發溫暖、溺愛別人，而且有福同享。同樣地，我們對朋友必須體貼、關心，為他們著想。對別人說的話，我們應該用心聽、專心聽，並且要注意。對於窮困的朋友，我們必須退讓、妥協，

做出讓步。而且，我們對每個人都應該要客氣、有禮貌，並且恭敬。當出席任何場合時，我們必須親切、端莊，而且優雅。我們對每個人都必須有外交手腕、圓滑，而且有禮貌。

第二，參加活動時，我們必須活躍、有活力，而且活潑。當我們和別人說話時，應該要令人興奮、精力充沛，並且很熱心。每當和別人在一起時，我們必須很有精神、精力充沛，而且充滿活力。同樣重要的是，我們必須一直微笑，並且發光、發亮。當我們在衆人面前時，應該發光、發亮，並且閃閃動人。我們必須非常耀眼，才能受人喜愛。我們必須發出光芒，而且容光煥發，才能吸引別人。其次，對於遇到的每個人，我們都必須有趣、風趣，而且令人愉快。我們必須有趣、好笑，並且幽默，讓別人喜歡和我們在一起。給人好感、令人愉快，和討人喜歡也是很重要的。

第三，我們必須稱讚。爲了交朋友，我們應該恭維、稱讚，和奉承別人。我們應該鼓掌、贊成，並欣賞朋友的努力。要表示我們的欣賞、欽佩、激勵，和祝賀是很重要的。此外，我們必須對每個人眞誠、誠實，並且很有誠意。對自己眞實、誠實，和坦白，是很重要的。如果我們總是對每個人眞實、眞誠、不虛假，他們就會喜歡我們。而且，我們也必須對每個人都樂觀、積極，並充滿希望。每當我們和人談話時，開朗、有精神，而且充滿希望，是很重要的。我們必須快樂、有自信，而且無憂無慮，才能過著令人滿足的生活。

最後，我們必須總是原諒別人。當別人道歉時，我們必須寬恕、遺忘，並且原諒。我們應該原諒、忽視，而且不理會別人做的壞事。爲了保持友誼，我們必須原諒、寬容，並慈悲爲懷。順便一提，當我們有過錯，我們必須認錯、道歉，並表示後悔。我們必須爲自己惡意的行爲說抱歉、表示後悔，並請求原諒。當我們把事情搞砸時，承認錯誤、過失，以及有罪，是很重要的。此外，我們也應該對每個人溫柔、溫和，而且有節制。對於遇到的每一個人，我們都應該要冷靜、平靜，而且有耐心。我們必須溫柔、體貼，而且有人情味，才會受人喜愛。如果我們能聽從這些話，就會變得受人歡迎。

2. How to Be Popular

3.　*Good Advice: What Not to Do*
好的建議：不應該做的事

【開場白】

Welcome one and all.　歡迎大家。

都有 So
- So glad to see you.
  很高興見到你們。
- So thrilled to be here.
  很興奮能來到這裡。

information 和 advice 都無冠詞

都有 It's
- I have information.
  我有一些資訊。
- It's solid advice.
  它是可靠的建議。
- It's about what not to do.
  它是關於不應該做的事。

句意相關
- Please listen carefully.
  請仔細聽。
- Learn from my words.
  要從我說的話學習。

You'll have a wonderful life.
你會擁有很棒的人生。

3. Good Advice

Good Advice: What Not to Do 開場白【背景説明】

Welcome one and all. (歡迎大家。) (= *Welcome everyone.*)
one and all 字面的意思是「一個和全部」，表示「大家」(= *everyone*)。
So glad to see you. (很高興見到你們。) (= *I'm so glad to see you.*)
也可簡化成：Glad to see you. (很高興見到你們。) *So thrilled
to be here.* (很興奮能來到這裡。) 源自 I'm *so thrilled to be here.*
(我很興奮能來到這裡。) 也可簡化成：Thrilled to be here. 意思
相同。【thrilled〔θrɪld〕*adj.* 非常興奮的】

I have information. (我有一些資訊。) (= *I have some
information.*) 不可説成：*I have an information.* (誤) 但可説成：
I have a piece of information. (我有一項資訊。) *It's solid
advice.* (它是可靠的建議。) solid 是「實在的；可靠的」，advice
可作「勸告」或「建議」解。advice 和 information (資訊) 都是抽
象名詞，不可數，不能説成：*I have a solid advice.* (誤) 但可説
成：I have a solid piece of advice. (我有一個可靠的建議。) 形
容詞要放在單位名詞前。*It's about what not to do.* (它是關於不
應該做的事。) 源自 It's about what you shouldn't do. (它是關於
你不應該做的事。)

Please listen carefully. (請仔細聽。) 可説成：Please listen
closely. (請仔細聽。)【closely〔ˈkloslɪ〕*adv.* 專心地；仔細地】*Learn
from my words.* (要從我說的話學習。) 可説成：Learn from my
advice. (要從我的勸告學習。) *You'll have a wonderful life.* (你
會擁有很棒的人生。) 可説成：You'll have a great life. 意思相同。

1. Never, ever argue.
絕對不要爭吵。

同義句	*Don't argue.*	不要爭吵。
	Quarrel.	不要吵架。
	Fight.	不要吵架。

字首都是 D	Debate.	不要辯論。
	Disagree.	不要不同意。
	Dispute.	不要爭論。

字尾是 ute

同義句	Don't refute.	不要反駁。
	Don't be contrary.	不要為反對而反對。
	Don't be contradictory.	不要唱反調。

字尾是 ry

** ————————

argue[2] 〔ˈɑrgju〕 *v.* 爭論；爭吵　　quarrel[3] 〔ˈkwɔrəl〕 *v.* 吵架

fight[1] 〔faɪt〕 *v.* 打架；吵架　　debate[2] 〔dɪˈbet〕 *v.* 辯論

disagree[2] 〔ˌdɪsəˈgri〕 *v.* 不同意；意見不合

dispute[4] 〔dɪˈspjut〕 *v.* 爭論

refute[5] 〔rɪˈfjut〕 *v.* 反駁

contrary[4] 〔ˈkɑntrɛrɪ〕 *adj.* 相反的

contradictory[6] 〔ˌkɑntrəˈdɪktərɪ〕 *adj.* 相互矛盾的

contrary

3. Good Advice

Don't blame.		不要責備。
Scold.		不要責罵。
Accuse.	都有「控告」的意思	不要譴責。

字首都是 C
Charge.		不要譴責。
Condemn.		不要譴責。
Criticize.		不要批評。

同義句
Insult.		不要侮辱。
Humiliate.	字尾是 e	不要羞辱。
Denounce.		不要譴責。

**

blame³〔blem〕*v.* 責備

scold⁴〔skold〕*v.* 責罵

accuse⁴〔ə'kjuz〕*v.* 控告；譴責

charge²〔tʃɑrdʒ〕*v.* 控告；譴責

condemn⁵〔kən'dɛm〕*v.* 譴責

criticize⁴〔'krɪtə,saɪz〕*v.* 批評

insult⁴〔ɪn'sʌlt〕*v.* 侮辱 〔'ɪnsʌlt〕*n.*

humiliate⁶〔hju'mɪlɪ,et〕*v.* 使丟臉；羞辱

denounce⁶〔dɪ'naʊns〕*v.* 譴責

criticize

3. Good Advice

	Don't complain.			不要抱怨。
字首是 Gr	Grumble.		同義句	不要抱怨。
	Groan.			不要嘀咕抱怨。
字首是 M	Moan.			不要抱怨。
	Mumble.	字尾是 e		不要含糊地說。
	Whine.			不要抱怨。
字首是 S	Yell.			不要大叫。
	Shout.			不要吼叫。
	Scream.			不要尖叫。

** ————————————

complain[2] 〔 kəm'plen 〕 *v.* 抱怨
grumble[5] 〔'grʌmbḷ 〕 *v.* 抱怨
groan[5] 〔 gron 〕 *v.* 呻吟；嘀咕抱怨
moan[5] 〔 mon 〕 *v.* 呻吟；抱怨
mumble[5] 〔'mʌmbḷ 〕 *v.* 喃喃地說；含糊地說
whine[5] 〔 hwaɪn 〕 *v.* 發牢騷；抱怨
yell[3] 〔 jɛl 〕 *v.* 大叫　　shout[1] 〔 ʃaʊt 〕 *v.* 吼叫
scream[3] 〔 skrim 〕 *v.* 尖叫

Ohh... Arra...

groan

3. Good Advice

1-1【背景說明】

　　爭吵是最可怕的事，沒有贏家，最好的方法，就是要避免它。專門喜歡爭吵的人，下場非常可怕，家庭不和諧，朋友走光。*Don't argue*.（不要爭吵。）*Don't* be the type of person who *argues*.（不要做喜歡爭吵的那種人。）*Don't argue* with others because people will look down upon you.（不要和別人爭吵，因為大家會看不起你。）The only way to win an *argument* is to avoid it.（解決爭吵最好的方法，就是要避免它。）*Quarrel*. 在此指 Don't *quarrel*.（不要吵架。）Don't *quarrel* because nobody ever wins.（不要吵架，因為絕對沒有人會贏。）Disagree or politely debate, but never ever *quarrel*.（不同意或有禮貌地辯論，但是絕對不要吵架。）*Fight*. 在此指 Don't *fight*.（不要吵架；不要打架。）Don't ever *fight* because it never solves anything.（絕對不要吵架，因為它絕不會解決任何事。）Don't ever *fight*; it's disgraceful and dangerous.（絕對不要吵架；那既丟臉又危險。）在 argue, quarrel, fight 中，最強烈的是 fight，因為 fight 可能會一面吵，一面打。第二強烈的是 quarrel，第三是 argue，這兩個都是用嘴巴吵，quarrel 字比較長，所以語氣較強。

> **Don't argue.**

Debate. 在此指 Don't *debate*.（不要辯論。）Never *debate* others in anger; you'll offend them.（生氣時不要和別人辯論；你會激怒他們。）To *debate* in a polite way shows you have an excellent education.（有禮貌地辯論顯示你受過很好的教育。）*Disagree.* 在此指 Don't *disagree*.（不要不同意。）和別人相處，最高的境界，是對不同意的事情，儘量不要說不。Always *disagree* in a polite way.（不同意時，一定要很客氣。）Only *disagree* when (*it is*) necessary.（只有在必要時才不同意。）*Dispute.* 在此指 Don't *dispute*.（不要爭論。）Nobody likes people who *dispute* a lot.（沒有人喜歡常常爭論的人。）Try to discuss and persuade; avoid *disputes*.（要儘量討論和說服；要避免爭論。）*dispute* 也可當名詞。

Don't refute.（不要反駁。）The global warming climate change theory is difficult to *refute*.（全球暖化氣候變遷理論是難以反駁的。）He *refuted* her argument.（他反駁她的論點。）【argument〔ˋɑrgjəmənt〕*n.* 爭論；論點】*Don't refute* with malicious intent.（不要惡意地反駁。）【malicious〔məˋlɪʃəs〕*adj.* 惡意的　intent〔ɪnˋtɛnt〕*n.* 意圖】*Don't be contrary.*（不要為反對而反對。）(= *Don't be contradictory.*) *Don't* say things just to *be contrary*.（不要為了反對而反對。）*Don't be contrary* to the truth.（不要反駁事實。）*Don't be contradictory.*（不要唱反調。）*Don't be contradictory* with your opinions.（不要用你的意見來唱反調。）

1-2 【背景說明】

不要和別人爭論，更不要去責備人家，指責別人沒有好處，只會傷到自己。*Don't blame.* (不要責備。) (= *Don't blame others.*) Accept responsibility; *don't blame* others. (要承擔責任；不要責備別人。) Never *blame* others; it's ugly and useless. (絕對不要責備別人；那既醜陋又無用。) *Scold.* 在此指 Don't *scold.* (不要責罵。) (= *Don't scold others.*) Don't *scold* people who are nice. (不要責罵好人。) She *scolded* him for being late. (她責罵他遲到。) *Accuse.* 在此指 Don't *accuse.* (不要譴責。) (= *Don't accuse others.*) Never *accuse* anyone *of* an error. (絕不要譴責任何人犯錯。) 【*accuse sb. of sth.* 控告某人某事；譴責某人某事 (= *charge sb. with sth.*)】 Nobody liked the teacher who was always *accusing* students *of* being lazy. (沒有人喜歡那位總是譴責學生懶惰的老師。)

Charge. 在此指 Don't *charge.* (不要譴責。) (= *Don't charge others.*) Never *charge* another person in front of others. (絕不要在別人面前譴責另一個人。) Do not *charge* others in anger. (生氣時不要譴責別人。) Be polite; try to be respectful when *charging* others *with* misconduct. (要有禮貌；當指責別人的錯誤行為時，要儘量恭敬。)【misconduct 〔 mɪs'kɑndʌkt 〕 *n.* 不正當的行為】 *Condemn.* 在此指 Don't *condemn.* (不要譴責。) (= *Don't condemn others.*)

Never be quick to *condemn* others.（絕不要太快譴責他人。）To *condemn* others is not a polite thing to do. （譴責別人不是一件有禮貌的事。）*Criticize.* 在此指 Don't *criticize.*（不要批評。）(= *Don't criticize others.*) Avoid *criticizing* others; try making suggestions or offering advice. （要避免批評別人；儘量建議或勸告。）No one is perfect, so be careful when *criticizing* others.（沒有人是完美的，所以批評別人時要小心。）

> Don't charge, condemn, or criticize.

　　Insult. 在此指 Don't *insult.*（不要侮辱。）(= *Don't insult others.*) To *insult* others is extremely rude.（侮辱別人是非常無禮的。）One who *insults* another is showing bad manners. （侮辱別人很沒有禮貌。）insult〔ɪnˋsʌlt〕是動詞，不要唸成名詞〔ˋɪnsʌlt〕。*Humiliate.* 在此指 Don't *humiliate.*（不要羞辱。）(= *Don't humiliate others.*) It's very disrespectful to *humiliate* others.（羞辱別人就是對別人非常不尊敬。）If you *humiliate* someone, you'll be hated for it.（如果你羞辱人，別人會恨你。）*Denounce.* 在此指 Don't *denounce.*（不要譴責。）(= *Don't denounce others.*) It's not proper to *denounce* others.（譴責別人不恰當。）Mind your own business; avoid *denouncing* others.（少管閒事；要避免譴責別人。）Don't criticize harshly or *denounce* anyone in public.（不要嚴厲批評或當眾譴責任何人。）

1-3【背景説明】

Don't complain.

不要爭吵、不要責備，也不要抱怨。

Don't complain.（不要抱怨。）
Nobody likes people who *complain*
too much.（沒有人喜歡太常抱怨的人。）
Don't complain; it's useless.（不要抱怨；那沒有用。）Accept reality, try to change things, and *don't complain*.（接受事實，努力改變情況，不要抱怨。）*Grumble.* 在此指 Don't *grumble*.（不要抱怨。）It's not mature to *grumble*.（只有不成熟的人才會抱怨。）Winners never *grumble*; they take action.（贏家絕不會抱怨；他們會採取行動。）Successful people don't *grumble* or complain; they do something about it.（成功的人不會抱怨；他們會採取行動。）*Groan.* 在此指 Don't *groan*.（不要嘀咕抱怨。）Never *groan* or voice displeasure.（絕不要嘀咕抱怨或表達不高興。）【voice〔vɔɪs〕*v.* 表達　displeasure〔dɪs'plɛʒɚ〕*n.* 生氣；不悅】Nobody likes to hear someone *groan*.（沒有人喜歡聽到別人嘀咕抱怨。）*Groaning* is for animals, not for people.（嘀咕抱怨適合動物，不適合人。）

Moan. 在此指 Don't *moan*.（不要抱怨。）When unhappy, keep quiet. Don't *moan*.（不高興的時候，要保持安靜。不要抱怨。）It's rude and impolite to *moan*.（抱怨是非常不禮貌的。）*Mumble.* 在此指 Don't *mumble*.（不要含糊地說。）Don't *mumble*; it's not polite.（不要含糊地說；那

樣不禮貌。）Speak up clearly;
never *mumble*.（要清楚大聲
說出來；絕不要含糊地說。）
mumble 不是「抱怨」，是
「說話不清楚」，如有人說
話說得太快、太含糊，讓
別人聽不懂，就可跟他說：

Don't mumble.
不要含糊地說。

Don't *mumble*.（不要含糊地說。）*Whine*. 在此指 Don't
whine.（不要抱怨。）If you *whine*, you won't have many
friends.（如果你抱怨，就不會有很多朋友。）To *whine* or
complain is a waste of time.（發牢騷或抱怨都是浪費時間。）
Do something. Take action. Don't *whine*.（想想辦法，採
取行動，不要抱怨。）

　　Yell. 在此指 Don't *yell*.（不要大叫。）*Yelling* is for an
emergency or safety only.（只有在緊急情況或為了安全才可
以大叫。）True gentlemen and ladies never *yell* out loud.
（真正的紳士和淑女絕不會大聲叫。）【*yell out loud* 大聲叫
（= *scream*）】*Shout*. 在此指 Don't *shout*.（不要吼叫。）
Never *shout* at another in anger.（生氣時絕不要對別人吼
叫。）*Shouting* at someone never helps the situation.（對
人吼叫對情況絕對不會有幫助。）*Scream*. 在此指 Don't
scream.（不要尖叫。）Never, ever cry out or *scream* in
anger.（絕對不要在生氣時大叫或尖叫。）【*cry out* 大叫】
Never *scream* or lose your temper in public.（絕不要當眾
尖叫或發脾氣。）【*lose one's temper* 發脾氣】

3. Good Advice

2. Never, ever get angry.
絕對不要生氣。

| 同義句 | Don't get angry.
Mad.
Upset. | 不要生氣。
不要生氣。
不要生氣。 |

| 字首是 I | Defensive. ⎫字尾是 e
Irritable. ⎬
Indignant. ⎭ | 不要被激怒。
不要動不動就生氣。
不要氣憤。 |

| 兩短一長 | Annoyed. ⎫字尾是 ed
Provoked. ⎬
Don't lose your temper. | 不要心煩。
不要被激怒。
不要發脾氣。 |

**

mad¹ 〔 mæd 〕 *adj.* 生氣的

upset³ 〔 ʌp'sɛt 〕 *adj.* 不高興的；生氣的

defensive⁴ 〔 dɪ'fɛnsɪv 〕 *adj.* 防禦的；惱怒的

irritable⁶ 〔 'ɪrətəbḷ 〕 *adj.* 易怒的

indignant⁵ 〔 ɪn'dɪgnənt 〕 *adj.* 氣憤的

annoyed⁴ 〔 ə'nɔɪd 〕 *adj.* 心煩的

provoke⁶ 〔 prə'vok 〕 *v.* 激怒

temper³ 〔 'tɛmpɚ 〕 *n.* 脾氣　　***lose one's temper*** 發脾氣

irritable

3. Good Advice

| 字首是 S | *Don't be sad.* 同
Sorrowful. 義
Pessimistic. 句 | 不要難過。
不要悲傷。
不要悲觀。 |

| 字首都是 D | Depressed. 同
Dejected. 義
Discouraged. 句 | 不要沮喪。
不要沮喪。
不要氣餒。 |

| 字首都是 M | Miserable.
Melancholy.
Mournful. | 不要悶悶不樂。
不要憂鬱。
不要哀傷。 |

** ————————

sad[1] 〔 sæd 〕 *adj.* 悲傷的；難過的
sorrowful[4] 〔'sɑrofəl 〕 *adj.* 悲傷的
pessimistic[4] 〔͵pɛsə'mɪstɪk 〕 *adj.* 悲觀的
depressed[4] 〔 dɪ'prɛst 〕 *adj.* 沮喪的
dejected[5] 〔 dɪ'dʒɛktɪd 〕 *adj.* 沮喪的
discouraged[4] 〔 dɪs'kɝɪdʒd 〕 *adj.* 氣餒的
miserable[4] 〔'mɪzərəbḷ〕 *adj.* 悲慘的；不快樂的；沮喪的
melancholy[6] 〔'mɛlən͵kɑlɪ 〕 *adj.* 憂鬱的【這個字容易唸錯，重音
　在前面】 　mournful[6] 〔'mɔrnfəl 〕 *adj.* 哀傷的

depressed

3. Good Advice

同義句		中文
	Don't be desperate.	不要絕望。
	Frustrated.	不要洩氣。
	Hopeless.	不要絕望。

字首都是 Dis		字尾都是 ed	中文
	Distressed.		不要苦惱。
	Dismayed.		不要驚慌。
	Disheartened.		不要沮喪。

都有 Lose		中文
	Don't despair.	不要絕望。
	Lose hope.	不要失去希望。
	Lose heart.	不要失去勇氣。

**　*
---

desperate⁴ ('dɛspərɪt) *adj.* 絕望的
frustrated³ ('frʌstretɪd) *adj.* 受挫的;洩氣的
hopeless⁴ ('hoplɪs) *adj.* 沒有希望的;絕望的
distressed⁵ (dɪ'strɛst) *adj.* 痛苦的;苦惱的
dismayed⁶ (dɪs'med) *adj.* 驚慌的
disheartened (dɪs'hartn̩d) *adj.* 沮喪的;氣餒的
despair⁵ (dɪ'spɛr) *v. n.* 絕望　lose² (luz) *v.* 失去
heart¹ (hart) *n.* 心;精神;勇氣
lose heart 失去勇氣;意志消沈

hopeless

3. Good Advice

2-1【背景説明】

生氣會傷害自己的身體，是在用別人的過錯懲罰自己。*Don't get angry.*（不要生氣。）It's never helpful to *get angry.*（生氣是絕對沒有用的。）You'll never gain or benefit by being *angry.*（生氣絕不會有收穫或有好處。）*Mad.* 在此指 Don't get *mad.*（不要生氣。）It's always better to take action than to get *mad.*（採取行動一定比生氣好。）Getting *mad* or angry never helps the situation.（生氣對情況絕對不會有幫助。）*Upset.* 在此指 Don't get *upset.*（不要生氣。）Getting *upset* about a person or situation doesn't make it better.（對一個人或情況生氣，不會變得更好。）Don't let little things *upset* you.（不要讓小事使你生氣。）*upset* 在此當動詞，作「使不高興」解。

Defensive. 在此指 Don't get *defensive.*（不要被激怒。）Successful people are open-minded, not *defensive.*（成功的人心胸寬大，不會被激怒。）Always remain confident and relaxed, not nervous and *defensive.*（一定要保持有信心又輕鬆，不要緊張又生氣。）

Don't be defensive.
不要生氣。

Irritable. 在此指 Don't get *irritable.*（不要動不動就生氣。）Be easy-going, not *irritable.*（要隨和，不要動不動就生氣。）Nervous, *irritable* people are not well liked.（緊張、容易生氣的人，不受人喜愛。）*Indignant.* 在此指 Don't get *indignant.*（不要氣憤。）Don't be *indignant* if treated unfairly; just work and try harder.（如果被不公平地對待，不要氣憤；只要更努力工作。）Never become *indignant* at others' rude behavior.（絕對不要因為別人粗魯的行為而氣憤。）

Annoyed. 在此指 Don't get *annoyed*. (不要心煩。) Never get *annoyed* by people or their actions. (絕對不要因爲別人或他們的行爲而心煩。) Don't let yourself be *annoyed* by things beyond your control. (不要讓你無法控制的事使你心煩。) *Provoked.* 在此指 Don't get *provoked*. (不要被激怒。) You must never be *provoked* into fighting with another. (你絕對不要被激怒，去和他人吵架。) Never let others *provoke* you. (絕不要讓別人激怒你。) *Don't lose your temper.* (不要發脾氣。) If you *lose your temper*, you'll lose respect.

(如果你發脾氣，就會失去別人的尊敬。)
Never be the type of person who often
loses his temper. (絕對不要做那種常常發脾
氣的人。)

He lost his temper.

2-2【背景說明】

生氣完了，就會悲傷、難過。*Don't be sad.* (不要難過。) 可加強語氣說成：*Don't* ever let yourself *be sad* for too long. (絕不要讓你自己難過太久。) Never let others make you *sad*! (絕不要讓別人使你難過！) *Sorrowful.* 在此指 Don't be *sorrowful*. (不要悲傷。) Get over *sorrowful* feelings ASAP. (要儘快克服悲傷的感覺。) Don't let yourself be *sorrowful*. (不要讓自己悲傷。) *Pessimistic.* 在此指 Don't be *pessimistic*. (不要悲觀。) Happiness always overcomes *pessimistic* thoughts. (快樂總是能克服悲觀的想法。) Be a positive person, not a negative, *pessimistic* person. (要做一個樂觀的人，不要做一個悲觀的人。)【negative〔'nɛɡətɪv〕*adj.* 負面的；消極的】

3. Good Advice

Depressed. 在此指 Don't be *depressed*. （不要沮喪。）
Don't be *depressed*. Be hopeful. （不要沮喪。要充滿希望。）
Never allow yourself to get *depressed*. （絕不要讓自己沮喪。）
Dejected. 在此指 Don't be *dejected*. （不要沮喪。）Never let
bad news make you feel *dejected* for too long. （絕不要讓壞消
息使你沮喪太久。）Refuse to let troubles make you feel
dejected. （不要讓煩惱使你覺得沮喪。）*Discouraged.* 在此指
Don't be *discouraged*. （不要氣餒。）We all get *discouraged*
or disappointed from time to time, but eventually we must
overcome it. （我們偶爾都會氣餒或失望，但最後我們一定要克服
它。）All great people experience failure, get *discouraged*,
and then keep trying till they succeed. （所有的偉人都經歷過失
敗，覺得氣餒，然後他們會持續努力，直到成功為止。）

Miserable. 在此指 Don't be *miserable*. （不要悶悶不樂。）
Stay hopeful and positive. Never let bad stuff make you feel
miserable. （要一直充滿希望和樂觀。絕不要讓不好的事情使你覺
得悶悶不樂。）Successful people never let *miserable*
circumstances defeat them. （成功的人絕不會讓悲慘的環境打
敗他們。）【circumstances〔'sɝkəmˌstænsɪz〕*n. pl.* 情況；環境】
Melancholy. 在此指 Don't be *melancholy*. （不要憂鬱。）
Never let sad, *melancholy* news make you quit. （絕不要讓令
人難過又憂鬱的消息使你放棄。）To succeed, force yourself to
overcome the occasional *melancholy* setback. （為了成功，要
強迫自己克服偶爾令人憂鬱的挫折。）【setback〔'sɛtˌbæk〕*n.* 挫折】
Mournful. 在此指 Don't be *mournful*. （不要哀傷。）For high

achievers, *mournful* behavior is always temporary!（對於很有成就的人，哀傷的行爲總是很短暫！）【*high achiever* 很有成就的人（= *someone who achieves more than expected*）】Everyone on the road to success must overcome *mournful* events.（在成功道路上的每一個人，都必須克服令人哀傷的事情。）

> 這一回九個字巧妙安排，sad-sorrowful-pessimistic，前兩個字字首是 s，depressed-dejected-discouraged 字首都是 d，字尾都是 ed，miserable-melancholy-mournful，都是 m 開頭。在中文中，悲傷、悲觀、沮喪、氣餒、悶悶不樂、憂鬱、哀傷，都是「難過」的同義詞。勸人「不要難過。」*Don't be sad.* 有這麼多同義句，就好背了，不需要特意區別每個字的不同，才容易記住。

2-3【背景説明】

生氣的人往往會傷心和絶望。*Don't be desperate.*（不要絶望。）*Don't be desperate* during sad times.（難過的時候不要絶望。）I became *desperate* as time was running out.（當快要沒有時間的時候，我變得很絶望。）【*run out* 耗盡；用光】*Frustrated.* 在此指 Don't be *frustrated*.（不要洩氣。）Don't be *frustrated* by small inconveniences.（不要因爲小小的不方便而受到挫折。）She was *frustrated* because her mom didn't believe her.（她很洩氣，因爲她的媽媽不相信她。）*Hopeless.* 在此指 Don't be *hopeless*.（不要絶望。）Don't be *hopeless* when things are not going your way.（當情況不順利的時候，不要絶望。）【*go one's way* 對某人有利】I felt *hopeless* after my friend moved away.（當我的朋友搬走以後，我覺得很絶望。）

Distressed. 在此指 Don't be *distressed.*（不要苦惱。）
Don't be *distressed* over little things.（不要爲了小事而苦惱。）
The news *distressed* him.（這個消息使他苦惱。）*Dismayed.*
在此指 Don't be *dismayed.*（不要驚慌。）Don't be *dismayed*
by change.（不要因爲改變而驚慌。）She was *dismayed* when
the police pulled her over.（當警察要她靠邊停車時，她很驚
慌。）【*pull sb. over* 要某人靠邊停車】*Disheartened.* 在此指
Don't be *disheartened.*（不要沮喪。）Don't be *disheartened*
when being pressured.（當有壓力時，不要沮喪。）I felt
disheartened after getting the results of my test.（在得到考
試成績後，我覺得很沮喪。）

　　Don't despair.（不要絕望。）*Don't despair* when you hit
the rock bottom in life.（當碰到人生最低點時，不要絕望。）
【*hit the rock bottom* 碰到最低點（= *hit the lowest point in life*）】
A few positive words can turn *despair* into hope.（一些正面
的話可以把絕望變成希望。）此時 despair 是名詞。*Lose hope.*
在此指 Don't *lose hope.*（不要失去希望。）Don't *lose hope*
when things look bad.（當情況看起來不好的時候，不要失去希
望。）He *lost hope* after failing his test.（他考試不及格之後，
就失去了希望。）*Lose heart.* 在此指 Don't *lose heart.*（不要失
去勇氣。）Don't *lose heart* in tough times.（在情況不好的時
候，不要失去勇氣。）【in tough times = in bad times】I won't
lose heart; I will still work hard.（我不會意志消沈；我仍然
會繼續努力。）自殺的人都是覺得沒有希望、沒有什麼可以關
心的，人都是爲希望、夢想而活。

3. *Never, ever be harsh.*
絕對不要太嚴厲。

	Don't be harsh.	不要太嚴厲。
同義句 {	**Brutal.** } 字尾是 l	不要太殘忍。
	Cruel.	不要太殘忍。

	Strict. }	不要太嚴格。
字首都是 S {	**Stern.** } 同義句	不要太嚴厲。
	Severe.	不要太嚴厲。

	Serious. }	不要太嚴肅。
字首是 Gr {	**Grave.** } 同義句	不要太嚴肅。
	Grim.	不要太嚴肅。

**

harsh[4] 〔 harʃ 〕 *adj.* 嚴厲的　　brutal[4] 〔'brutḷ 〕 *adj.* 殘忍的

cruel[2] 〔'kruəl 〕 *adj.* 殘忍的　　strict[2] 〔 strɪkt 〕 *adj.* 嚴格的

stern[5] 〔 stɝn 〕 *adj.* 嚴格的

severe[4] 〔 sə'vɪr 〕 *adj.* 嚴厲的；嚴格的

serious[2] 〔'sɪrɪəs 〕 *adj.* 嚴肅的

grave[4] 〔 grev 〕 *adj.* 嚴重的；嚴肅的

grim[5] 〔 grɪm 〕 *adj.* 嚴肅的；冷酷的

serious

3. Good Advice

字首是 st	*Don't be stubborn.* Stiff. Obstinate.	同義句	不要頑固。 不要頑固。 不要頑固。
同義句	Fixed. Inflexible. Rigid.		不要固執。 不要沒有彈性。 不要頑固。
字首都是 Un	Unwilling. Unyielding. Uncompromising.	字尾都是 ing	不要不願意。 不要不讓步。 不要不妥協。

** ─────────

stubborn[3] 〔'stʌbən〕 *adj.* 頑固的
stiff[3] 〔stɪf〕 *adj.* 僵硬的；頑強的；頑固的
obstinate[5] 〔'ɑbstənɪt〕 *adj.* 頑固的
fixed[2] 〔fɪkst〕 *adj.* 固定的；固執的
inflexible[4] 〔ɪn'flɛksəbḷ〕 *adj.* 無彈性的；頑固的
rigid[5] 〔'rɪdʒɪd〕 *adj.* 嚴格的；死板的；頑固的
unwilling[2] 〔ʌn'wɪlɪŋ〕 *adj.* 不願意的；不情願的
unyielding[5] 〔ʌn'jildɪŋ〕 *adj.* 頑強的；不屈服的；不讓步的
uncompromising[5] 〔ʌn'kɑmprə͵maɪzɪŋ〕 *adj.* 不妥協的；頑固的

stubborn

3. Good Advice

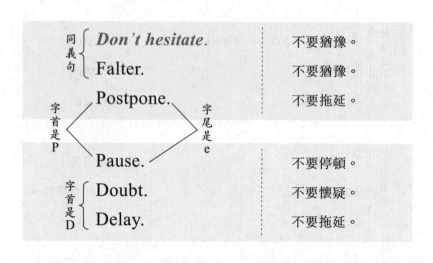

	同義句		
		Don't hesitate.	不要猶豫。
		Falter.	不要猶豫。
字首是P		Postpone.	不要拖延。
字尾是e		Pause.	不要停頓。
字首是D		Doubt.	不要懷疑。
		Delay.	不要拖延。

三個形容詞		
	Be reluctant.	不要勉強。
	Uncertain.	不要不確定。
	Indecisive.	不要猶豫不決。

**

hesitate[3] ﹝'hɛzə,tet﹞ *v.* 猶豫

falter[5] ﹝'fɔltɚ﹞ *v.* 蹣跚；搖晃；猶豫

postpone[3] ﹝post'pon﹞ *v.* 延遲；延期

pause[3] ﹝pɔz﹞ *v.* 停頓；猶豫

doubt[2] ﹝daʊt﹞ *v.* 懷疑   delay[2] ﹝dɪ'le﹞ *v.* 拖延

reluctant[4] ﹝rɪ'lʌktənt﹞ *adj.* 勉強的；不情願的

uncertain[1] ﹝ʌn'sɝtn̩﹞ *adj.* 不確定的

indecisive[6] ﹝,ɪndɪ'saɪsɪv﹞ *adj.* 優柔寡斷的；猶豫不決的

hesitate

3-1【背景説明】

中國人説中庸之道，不偏不倚之爲中，不要對人太嚴厲。

Don't be harsh.（不要太嚴厲。）Be sensitive and kind, never **harsh** or disagreeable.（要體貼又親切，絕不要太嚴厲或令人不愉快。）The best teachers are never **harsh**. They are always pleasant and kind.（最好的老師絕對不會太嚴厲。他們總是令人愉快又親切。）*Brutal.* 在此指 Don't be **brutal**.（不要太殘忍。）Good people are never **brutal**.（好人絕不會太殘忍。）Polite people avoid using crude or **brutal** words and actions.（有禮貌的人會避免使用粗魯或殘忍的言語和行爲。）*Cruel.* 在此指 Don't be **cruel**.（不要太殘忍。）It's never acceptable to be **cruel**.（殘忍絕不會被人接受。）Avoid **cruel** and impolite people. They will never benefit you.（要避開殘忍和不禮貌的人。他們絕不會對你有好處。）

Strict. 在此指 Don't be **strict**.（不要太嚴格。）Never be too **strict** with others.（絕不要對別人太嚴格。）The best managers encourage a lot and are seldom **strict**.（最好的經理會常常鼓勵，很少太嚴格。）*Stern.* 在此指 Don't be **stern**.（不要太嚴厲。）Don't be too tough or **stern** when dealing with young people.（和年輕人來往時，不要太強硬或嚴厲。）【tough〔tʌf〕*adj.* 堅定的；強硬的】*Stern* leadership and discipline in moderation is OK.（適度的嚴格領導和紀律是可以的。）*Severe.* 在此指 Don't be **severe**.（不要太嚴厲。）Don't be **severe** with your peers.（不要對你的同儕太嚴厲。）【peer〔pɪr〕*n.* 同儕】People won't like you if you are **severe**.（如果你很嚴厲，別人就不會喜歡你。）

To succeed, never be *severe* in manners or actions toward others. (想要成功，對別人的態度和行為絕對不要太嚴厲。)

> *Serious.* 在此指 Don't be *serious.* (不要太嚴肅。)

Don't be *serious* during fun times. (在玩的時候，不要太嚴肅。)(= *When you're having fun, don't be serious.*) Don't be *serious* when you're playing a game. (玩遊戲的時候不要太嚴肅。) *Grave.* 在此指 Don't be *grave.* (不要太嚴肅。) Don't be *grave* with others. (對別人不要太嚴肅。) Don't be *grave* when doing something unless it's important. (當你在做事的時候，除非很重要，否則不要太嚴肅。) *Grim.* 在此指 Don't be *grim.* (不要太嚴肅。) Don't be *grim* all of the time. (不要一直都很嚴肅。) (= *Don't be grim all the time.*) His expression was *grim.* (他的表情很嚴肅。)

【expression〔ɪkˈsprɛʃən〕*n.* 表情】

grim

3-2 【背景説明】

> 當有人老是堅持己見時，你就可以說：*Don't be stubborn.*

(不要頑固。) 可加長為：Don't be *stubborn* about your opinions. (不要堅持你的意見。) He was too *stubborn* to admit that he was wrong. (他太頑固，不願意承認他錯了。) *Stiff.* 在此指 Don't be *stiff.* 字面的意思是「不要僵硬。」引申為「不要頑固。」Don't be *stiff* with your belief. (不要堅持你的信念。) She was too *stiff* to accept his point of view. (她太頑固，不願意接受他的觀點。) *stiff* 的意思有：「僵硬的；頑

強的；堅定的；不妥協的」，要視前後句意來判斷。*Obstinate.* 在此指 Don't be *obstinate.*（不要頑固。）Don't be *obstinate* when conflicting with another.（和別人起衝突時，不要頑固。）He showed an *obstinate* refusal to admit things were bad.（他很頑固地拒絕承認情況很糟。）

　　用文法來造句非常危險，往往會被限制住，英文永遠學不好。像 Don't be *fixed.* 字面的意思是「不要被固定。」引申為「不要固執。」*fixed* 到底是過去分詞還是形容詞呢？不需要這樣研究，只要背句子，才會記得住 *fixed* 可當純粹的形容詞用。Don't be *fixed.*（不要固執。）Don't be *fixed* on doing one thing.（不要固定只做一件事。）He was so *fixed* on playing games that he forgot to do his homework.（他非常堅持玩遊戲，忘了做功課。）*fixed* 的主要意思是

Don't be fixed.
不要固執。

「固定的」，可引申為「固執的；頑固的」。*Inflexible.* 在此指 Don't be *inflexible.*（不要沒有彈性。）Don't be *inflexible* with your schedule.（你的時間表不要沒有彈性。）The teacher is *inflexible* when it comes to accepting late homework.（老師不願意接受遲交的作業。）*inflexible* 的主要意思是「沒有彈性的」，常引申為「不願改變的；頑固的；難以改變的」。*Rigid.* 在此指 Don't be *rigid.*（不要頑固。）Don't be *rigid* about your bad habits.（不要對你的壞習慣太執著。）I'm not *rigid*; I'm open to all ideas.（我不頑固；我對所有的意見都開放。）

Unwilling. 在此指 Don't be *unwilling*. (不要不願意。) Don't be *unwilling* to try new things. (不要不願意嘗試新事物。) He was *unwilling* to ride the roller coaster. (他不願意坐雲霄飛車。) *Unyielding*. 在此指 Don't be *unyielding*. (不要不讓步。) yield 的主要意思是「順從；讓步；屈服」。 Don't be *unyielding* to your parents. (對你的父母要讓步。) He was *unyielding* to any other idea. (他不聽從任何其他的想法。) *Uncompromising*. 在此指 Don't be *uncompromising*. (不要不妥協。) (= *Don't be unwilling to change your opinion.*) His schedule was *uncompromising*. (他的時間表沒辦法改。) (= *He couldn't change his schedule.*) Don't have an *uncompromising* future. (不要只有不變的未來。) (= *Don't focus on having one future.*) compromise 是「妥協」， *uncompromising* 是「不妥協的；不讓步的；堅定的」。

3-3【背景說明】

　　平常對人不要嚴厲、不要頑固，要有彈性，但是不要猶豫、拖延。*Don't hesitate*. (不要猶豫。) *Don't hesitate* to do what you want. (做你想要做的事，不要猶豫。) He who *hesitates* is lost. (【諺】遲疑者必失良機。) *Falter*. 在此指 Don't *falter*. (不要猶豫。) Don't *falter* when making a choice. (做選擇時，不要猶豫。) Don't *falter* to take big opportunities. (要把握重大的機會，不要猶豫。) *Postpone*.

在此指 Don't *postpone*.（不要拖延。）The teacher *postponed* the test.（老師把考試延期。）Don't *postpone* your duties.（不要拖延你該做的事。）

　　Pause. 在此指 Don't *pause*.（不要停頓。）Don't *pause* in the middle of a speech.（在演講中不要停頓。）Don't *pause* learning English.（學英文不要停頓。）*Doubt.* 在此指 Don't *doubt*.（不要懷疑。）Don't *doubt* your ability.（不要懷疑你的能力。）She *doubted* that her plan would work.（她不相信她的計劃行得通。）*Delay.* 在此指 Don't *delay*.（不要拖延。）Don't *delay* your tasks.（不要拖延你的任務。）He decided to *delay* his project.（他決定要延遲他的計劃。）

　　Be reluctant. 在此指 Don't *be reluctant*.（不要勉強。）Don't be *reluctant* to learn.（學習要心甘情願。）Don't *be reluctant* to try something new.（不要不願意嘗試新的事物。）*Uncertain.* 在此指 Don't be *uncertain*.（不要不確定。）Don't be *uncertain* of your actions.（不要不確定你的行動。）Don't be *uncertain* of your career path.（不要不確定你未來的生涯之路。）*Indecisive.* 在此指 Don't be *indecisive*.（不要猶豫不決。）Don't be *indecisive* about what you want to do.（對於你要做的事不要猶豫不決。）She was *indecisive* on where she wanted to eat.（她無法決定要去哪裡吃飯。）

4. Never, ever conceal.

絕對不要隱瞞。

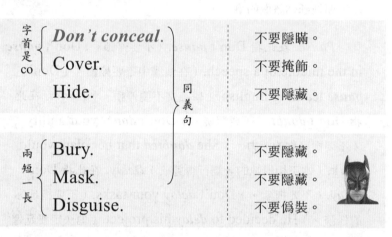

字首是 co	*Don't conceal.*	不要隱瞞。
	Cover.	不要掩飾。
	Hide.	不要隱藏。
兩短一長	Bury.	不要隱藏。
	Mask.	不要隱藏。
	Disguise.	不要偽裝。
字首是 S	Screen.	不要隱藏。
	Suppress.	不要隱瞞。
	Keep secrets.	不要保密。

（同義句，兩短一長，同義句）

**

conceal⁵ 〔kən'sil〕 v. 隱瞞 cover¹ 〔'kʌvɚ〕 v. 隱藏；掩飾

hide² 〔haɪd〕 v. 掩飾；隱藏 bury³ 〔'bɛrɪ〕 v. 埋葬；埋藏；隱藏

mask² 〔mæsk〕 v. 用假面具掩飾；隱藏

disguise⁴ 〔dɪs'gaɪz〕 v. 偽裝；隱瞞；掩藏

screen² 〔skrin〕 v. 遮擋；隱藏

suppress⁵ 〔sə'prɛs〕 v. 鎮壓；隱瞞

secret² 〔'sikrɪt〕 n. 祕密 *keep secrets* 保密

Shhh...

keep secrets

3. Good Advice

	Don't be afraid.		不要害怕。
字首是 S	Scared.	字尾是 ed	不要害怕。
	Startled.		不要受到驚嚇。

兩短一長	Worried.	字尾都是 ed	不要擔心。
	Alarmed.		不要驚慌。
字首是 F	Frightened.	同義字	不要害怕。
	Fearful.		不要害怕。
同義字	Nervous.		不要緊張。
	Panicky.		不要恐慌。

**　—————————————

afraid[1] 〔 ə'fred 〕 *adj.* 害怕的
scared[1] 〔 skɛrd 〕 *adj.* 害怕的
startled[5] 〔'stɑrtḷd 〕 *adj.* 受到驚嚇的；吃驚的
worried[1] 〔'wɜɪd 〕 *adj.* 擔心的
alarmed[2] 〔 ə'lɑrmd 〕 *adj.* 驚恐的；驚慌的
frightened[2] 〔'fraɪtṇd 〕 *adj.* 受到驚嚇的；感到害怕的
fearful[2] 〔'fɪrfəl 〕 *adj.* 害怕的
nervous[3] 〔'nɜvəs 〕 *adj.* 緊張的
panicky[3] 〔'pænɪkɪ 〕 *adj.* 恐慌的

fearful

字首是 Su	***Don't quit.*** 字尾是 it	不要放棄。
	Submit.	不要屈服。
	Surrender.	不要認輸。

字首是 Ret	**Retreat.**	不要退縮。
	Retire. 字尾是 e	不要退出。
	Flee.	不要逃走。

字首是 W	**Withdraw.**	不要退縮。
	Walk away. 都有 away	不要走開。
	Run away.	不要逃跑。

**

quit² 〔 kwɪt 〕 *v.* 停止；放棄

submit⁵ 〔 səb'mɪt 〕 *v.* 屈服；認輸

surrender⁴ 〔 sə'rɛndə 〕 *v.* 投降；認輸；放棄

retreat⁴ 〔 rɪ'trit 〕 *v.* 撤退；退縮

retire⁴ 〔 rɪ'taɪr 〕 *v.* 退休；退出

flee⁴ 〔 fli 〕 *v.* 逃走

withdraw⁴ 〔 wɪð'drɔ 〕 *v.* 撤退；退縮

walk away 走開；離開

run away 逃跑；逃避（困難或令人不快的局面）

flee

4-1【背景説明 】

　　想要有好的朋友，就儘量不要隱瞞自己，讓別人猜測。
Don't conceal.（不要隱瞞。）Don't *conceal* your personality.
（不要隱瞞你的個性。）He just wanted to *conceal* himself
from everyone.（他只是想要隱瞞自己的事，不讓每個人知道。）
Cover. 在此指 Don't *cover*.（不要掩飾。）Don't *cover* your
flaws.（不要掩飾你的缺點。）He decided to *cover* himself
because he was nervous.（他決定掩飾自己，因為他很緊張。）
Hide. 在此指 Don't *hide*.（不要隱藏。）Don't *hide* from
others.（不要躲避別人。）I would rather *hide* than show
myself.（我寧願隱藏，也不願展現自己。）

　　Bury. 在此指 Don't *bury*.（不要隱藏。）Don't *bury* your
problems.（不要隱藏你的問題。）He *buried* his nervousness
before the test.（他在考試前裝作不緊張。）*Mask.* 在此指 Don't
mask.（不要隱藏。）Don't *mask* your true self.（不要隱藏
你真實的自己。）He decided to *mask* the truth from his
parents.（他決定要隱藏真相，不讓他的父母知道。）*mask* 當
名詞時，意思是「面具」。*Disguise.* 在此指 Don't *disguise*.
（不要偽裝。）Don't *disguise* yourself.（不要偽裝自己。）
A blessing in *disguise*.（【諺】因禍得福；外表似不幸，其實
為幸福。）這句話字面的意思是「偽裝的幸福。」

　　Screen. 在此指 Don't *screen*.（不要隱藏。）screen 當名詞
的意思有：「螢幕；紗窗；掩蔽物；掩護」，在此是動詞。Don't

3. Good Advice

screen your feelings.（不要隱藏你的感情。）His generosity was a *screen* to manipulate others.（他的慷慨只是個掩飾，目的是想要操縱別人。）*Suppress*. 在此指 Don't *suppress*.（不要隱瞞。）Don't *suppress* your feelings.（不要隱瞞你的感情。）He decided to *suppress* how he really felt.（他決定隱瞞他真正的感覺。）*suppress* 的意思有：「壓制；抑制；隱瞞」。*Keep secrets*. 在此指 Don't *keep secrets*.（不要保密。）Don't *keep secrets* from others if they are important.（不要對重要的人保密。）We decided that it was best to *keep* it a *secret*.（我們決定這件事最好要保密。）*secret* 是可數名詞，「保密」可說成：keep a secret，keep secrets，或 keep *sth.* secret（把某事保密）。

Don't keep secrets.

4-2【背景説明】

隱瞞就是因為害怕，我們不要隱瞞，也不要害怕。*Don't be afraid*.（不要害怕。）*Don't be afraid* of anything.（不要害怕任何事。）I was *afraid* of what was going to happen.（我害怕即將發生的事。）*Scared*. 在此指 Don't be *scared*.（不要害怕。）Don't be *scared* to express yourself.（不要害怕表達自己的意思。）He was *scared* when he saw a spider.（當他看到蜘蛛時，他很害怕。）【spider (ˈspaɪdɚ) *n.* 蜘蛛】*Startled*. 在此指 Don't be *startled*.（不要受到驚嚇。）I was *startled* by his idea.（他的想法讓我嚇一跳。）Don't be *startled* by change.（不要因為改變而受到驚嚇。）

Worried. 在此指 Don't be *worried.* （不要擔心。）Don't be *worried* over things that don't matter. （不要擔心不重要的事。）She was *worried* about what her parents would think. （她很擔心她的父母會怎麼想。）*Alarmed.* 在此指 Don't be *alarmed.* （不要驚慌。）Don't be *alarmed* by the news. （不要被這個消息嚇到了。）I felt *alarmed* walking in the dark. （在黑暗中走路我覺得很驚慌。）*Frightened.* 在此指 Don't be *frightened.* （不要害怕。）Don't be *frightened* by others. （不要被別人嚇到。）His intimidating presence *frightened* her. （他的存在具有威脅性，使她很害怕。）【intimidating〔ɪnˈtɪməˌdetɪŋ〕*adj.* 有威脅性的　presence〔ˈprɛzn̩s〕*n.* 存在；出席】

Fearful. 在此指 Don't be *fearful.* （不要害怕。）Don't be *fearful* of change. （不要害怕改變。）He was *fearful* of his punishment. （他害怕自己受到懲罰。）*Nervous.* 在此指 Don't be *nervous.* （不要緊張。）Don't be *nervous* when meeting people. （見到人時不要緊張。）I was feeling very *nervous* before my interview. （在我面試前，我覺得非常緊張。）*Panicky.* 在此指 Don't be *panicky.* （不要恐慌。）Don't be *panicky* for irrational reasons. （不要因為不理性的理由而恐慌。）She became *panicky* upon losing her keys. （她因為遺失鑰匙而變得恐慌。）【*upon* + *V-ing*　一…就】

3. Good Advice

4-3【背景説明】

　　隱瞞的下場是害怕被揭穿，害怕的下場是放棄。*Don't quit.*（不要放棄。）可加強語氣説成：***Don't quit*** on yourself.（不要自暴自棄。）（＝*Don't give up on yourself.*）*quit on sb.* 的意思是「放棄對某人的希望」。***Don't quit*** on him.（不要放棄對他的希望。）（＝*Don't give up on him.*）After many attempts, I decided to ***quit***.（試了很多次以後，我決定放棄。）*Submit.* 在此指 Don't ***submit***.（不要屈服。）Don't ***submit*** to pressure.（不要向壓力屈服。）She was forced to ***submit*** to her mother's demand.（她被迫向她母親的要求屈服。）*Surrender.* 在此指 Don't ***surrender***. 字面的意思是「不要投降。」在此引申爲「不要認輸。」Don't ***surrender*** to others.（不要向別人認輸。）當你和別人比賽時，你承認失敗，即是 *surrender*。He was forced to ***surrender***.（他被迫認輸。）

Don't surrender.
不要認輸。

　　Retreat. 在此指 Don't ***retreat***.（不要退縮。）Don't ***retreat*** from your problems.（碰到問題不要退縮。）The army decided to ***retreat***.（軍隊決定撤退。）*Retire.* 在此指 Don't ***retire***.（不要退出。）Don't ***retire*** your plans.（不要撤回你的計劃。）（＝*Don't give up your plans.*）He wanted to ***retire*** from playing basketball. （他想要不再打籃球了。）*Flee.* 在此指 Don't *flee*. （不要逃走。）Don't *flee* from the unknown. （不要因為未知的事物而逃避。）（= *Don't flee from what's not known.*）He decided to *flee* from the angry dog. （他決定逃離那隻生氣的狗。）

Withdraw. 在此指 Don't *withdraw*. （不要退縮。）Don't *withdraw* your ideas. （不要收回你的想法。）He was going to *withdraw* from the army. （他將從軍隊中退出。）*withdraw* 的意思有：「撤退；退縮；退出；提（款）」。*Walk away.* 在此指 Don't *walk away*. （不要走開。）Don't *walk away* from your job, home, or family. （不要離開你的工作、家，或家人。）She couldn't *walk away* from everything. （她沒辦法放棄每件事。）*Run away.* 在此指 Don't *run away*. （不要逃跑。）Don't *run away* from your hardships. （不要逃避艱難困苦。）I would rather deal with my problems than *run away* from them. （我寧願處理我的問題，也不要逃避。）

> **Don't quit on yourself**.

3. Good Advice

【Good Advice: What Not to Do 結尾語】

同義句
I'm done. 我說完了。
I'm finished. 我說完了。
That ends my speech.
我的演講到此結束。

都有 Thank
Thank you all. 謝謝大家。
Thanks for attending.
謝謝你們的參與。
You made it easy.
你們讓演講變得很容易。

Now avoid trouble.
現在要避免麻煩。

呼應主題 advice ←Follow my advice.
要聽從我的勸告。
Have a carefree life.
要過著無憂無慮的生活。

四件事絕對不能做：1. 爭吵——無結果。2. 生氣——傷身體。
3. 對人嚴厲——永遠孤獨。
4. 隱瞞——讓你生活在恐懼中。

Good Advice: What Not to Do 結尾語【背景說明】

I'm done. I'm finished. 文法上沒辦法解釋，可當成慣用句來看，表示「我做完了。」、「我吃完了。」等。*I'm done.*（我說完了。）可說成：*I'm done* with the speech.（我演講完了。）不能說成：*I have done.*（誤）但 *I'm finished.*（我說完了。）可說成：I have finished.（我說完了。）*That ends my speech.*（我的演講到此結束。）可說成：That concludes my speech. 意思相同。

Thank you all.（謝謝大家。）(= *Thank you everyone.*) *Thanks for attending.*（謝謝你們的參與。）可說成：Thanks for being here.（謝謝你們來。）*You made it easy.*（你們讓演講變得很容易。）(= *Saying the speech was effortless.*)

Now avoid trouble.（現在要避免麻煩。）可開玩笑說成：Now avoid disaster.（現在要避免災難。）*Follow my advice.*（要聽從我的勸告。）可說成：Listen to my advice.（要聽我的勸告。）*Have a carefree life.*（要過著無憂無慮的生活。）美國人常說：Have a great life.（要過著很棒的生活。）(= *Have a wonderful life.*)

3. *Good Advice: What Not to Do*

有男女兩種錄音

Edward　　　Stephanie

【開場白】

Welcome one and all.
歡迎大家。
So glad to see you.
很高興見到你們。
So thrilled to be here.
很興奮能來到這裡。

I have information.
我有一些資訊。
It's solid advice.
它是可靠的建議。
It's about what not to do.
它是關於不應該做的事。

Please listen carefully.
請仔細聽。
Learn from my words.
要從我說的話學習。
You'll have a wonderful life.
你會擁有很棒的人生。

1. Never, ever argue.

Don't argue. 不要爭吵。
Quarrel. 不要吵架。
Fight. 不要吵架。

Debate. 不要辯論。
Disagree. 不要不同意。
Dispute. 不要爭論。

Don't refute. 不要反駁。
Don't be contrary.
不要為反對而反對。
Don't be contradictory.
不要唱反調。

Don't blame. 不要責備。
Scold. 不要責罵。
Accuse. 不要譴責。

Charge. 不要譴責。
Condemn. 不要譴責。
Criticize. 不要批評。

Insult. 不要悔辱。
Humiliate. 不要羞辱。
Denounce. 不要譴責。

Don't complain. 不要抱怨。
Grumble. 不要抱怨。
Groan. 不要嘀咕抱怨。

Moan. 不要抱怨。
Mumble. 不要含糊地說。
Whine. 不要抱怨。

Yell. 不要大叫。
Shout. 不要吼叫。
Scream. 不要尖叫。

2. *Never, ever get angry*.

Don't get angry. 不要生氣。
Mad. 不要生氣。
Upset. 不要生氣。

Defensive. 不要被激怒。
Irritable. 不要動不動就生氣。
Indignant. 不要氣憤。

Annoyed. 不要心煩。
Provoked. 不要被激怒。
Don't lose your temper.
不要發脾氣。

Don't be sad. 不要難過。
Sorrowful. 不要悲傷。
Pessimistic. 不要悲觀。

Depressed. 不要沮喪。
Dejected. 不要沮喪。
Discouraged. 不要氣餒。

Miserable. 不要悶悶不樂。
Melancholy. 不要憂鬱。
Mournful. 不要哀傷。

Don't be desperate. 不要絕望。
Frustrated. 不要洩氣。
Hopeless. 不要絕望。

Distressed. 不要苦惱。
Dismayed. 不要驚慌。
Disheartened. 不要沮喪。

Don't despair. 不要絕望。
Lose hope. 不要失去希望。
Lose heart. 不要失去勇氣。

3. *Never, ever be harsh*.

Don't be harsh. 不要太嚴厲。
Brutal. 不要太殘忍。
Cruel. 不要太殘忍。

Strict. 不要太嚴格。
Stern. 不要太嚴厲。
Severe. 不要太嚴厲。

Serious. 不要太嚴肅。
Grave. 不要太嚴肅。
Grim. 不要太嚴肅。

Don't be stubborn. 不要頑固。
Stiff. 不要頑固。
Obstinate. 不要頑固。

Fixed. 不要固執。
Inflexible. 不要沒有彈性。
Rigid. 不要頑固。

Unwilling. 不要不願意。
Unyielding. 不要不讓步。
Uncompromising.
不要不妥協。

Don't hesitate. 不要猶豫。
Falter. 不要猶豫。
Postpone. 不要拖延。

Pause. 不要停頓。
Doubt. 不要懷疑。
Delay. 不要拖延。

Be reluctant. 不要勉強。
Uncertain. 不要不確定。
Indecisive. 不要猶豫不決。

4. *Never, ever conceal.*

Don't conceal. 不要隱瞞。
Cover. 不要掩飾。
Hide. 不要隱藏。

Bury. 不要隱藏。
Mask. 不要隱藏。
Disguise. 不要偽裝。

Screen. 不要隱藏。
Suppress. 不要隱瞞。
Keep secrets. 不要保密。

Don't be afraid. 不要害怕。
Scared. 不要害怕。
Startled. 不要受到驚嚇。

Worried. 不要擔心。
Alarmed. 不要驚慌。
Frightened. 不要害怕。

Fearful. 不要害怕。
Nervous. 不要緊張。
Panicky. 不要恐慌。

Don't quit. 不要放棄。
Submit. 不要屈服。
Surrender. 不要認輸。

Retreat. 不要退縮。
Retire. 不要退出。
Flee. 不要逃走。

Withdraw. 不要退縮。
Walk away. 不要走開。
Run away. 不要逃跑。

【結尾語】

I'm done. 我說完了。
I'm finished. 我說完了。
That ends my speech.
我的演講到此結束。

Thank you all. 謝謝大家。
Thanks for attending.
謝謝你們的參與。
You made it easy.
你們讓演講變得很容易。

Now avoid trouble.
現在要避免麻煩。
Follow my advice.
要聽從我的勸告。
Have a carefree life.
要過著無憂無慮的生活。

【作文範例】

What Not to Do

Here is some advice on what not to do. *To start with*, you should never, ever argue. Don't argue, quarrel, and fight with your friends. Never debate, disagree, or dispute for the wrong reasons. You shouldn't refute, be contrary, or have contradictory claims. *Similarly*, you must never blame, scold, or accuse people for small mistakes. Don't charge, condemn, or criticize the innocent. Don't insult, humiliate, or denounce others to make them look bad. *In addition*, you shouldn't complain, grumble, or groan. Never moan, mumble, or whine. It is important that you don't yell, shout, or scream when you're angry.

Secondly, you must never, ever get angry. Don't get angry, mad, or upset at others. Don't be defensive, irritable, or indignant. You must not get annoyed or provoked and lose your temper. *Equally important*, don't be sad, sorrowful, or pessimistic when you're unhappy. Don't be depressed, dejected, or discouraged when times are tough. You must never be miserable, melancholy, or mournful. *Besides*, don't be desperate, frustrated, or hopeless. You need to never be distressed, dismayed, or disheartened when you are under pressure. Don't despair, lose hope, or lose heart when things aren't going your way.

3. Good Advice

3. Good Advice

Thirdly, never, ever be harsh. Don't be harsh, brutal, or cruel. You must never be strict, stern, or severe to others. Never be serious, grave, or grim when you're supposed to be having fun. *Moreover*, don't be stubborn, stiff, or obstinate when arguing. Don't be fixed, inflexible, or rigid. You must also not be unwilling, unyielding, or uncompromising towards others. *Also*, you should never hesitate, falter, or postpone your duties. Never pause, doubt, or delay your tasks. Don't be reluctant, uncertain, or indecisive.

Additionally, you must never, ever conceal. Don't conceal, cover, or hide your true selves. You should not bury, mask, or disguise. Never screen, suppress, or keep secrets. *Likewise*, you must not be afraid, scared, or startled. Never get worried, alarmed, or frightened by anything. Don't be fearful, nervous, or panicky over small things. *Finally*, don't quit, submit, or surrender to anyone. You must not retreat, retire, or flee from anything. Never withdraw, walk, or run away from your problems. This is what you need to know not to do.

【翻譯】

不應該做的事

以下就是關於不應該做的事的一些建議。首先，你絕對不該與人爭吵。不要和你的朋友爭吵、爭論，和吵架。絕不要因為錯誤的原因而辯論、不同意，或爭執。你不應該反駁、為了反對而反對，或唱反調。

同樣地，絕對不要因為一些小錯誤，就責備、責罵，或譴責別人。不要控告、譴責，或批評無辜的人。不要為了給人難堪，就侮辱、羞辱，或譴責別人。此外，你不應該抱怨、發牢騷，或無病聲吟。絕對不要埋怨、含糊說話，或抱怨。重要的是，當你生氣的時候，不要大叫、吼叫，或尖叫。

第二，絕對不要生氣。不要對人生氣、發狂，或不高興。不要被激怒、動不動就生氣，或氣憤。絕對不要覺得心煩或被激怒，因而發脾氣。同樣重要的是，當你不高興的時候，不要難過、悲傷，或悲觀。當情況艱難的時候，不要情緒低落、沮喪，或氣餒。絕不要悶悶不樂、憂鬱，或哀傷。此外，不要絕望、受挫，或失去希望。當面對壓力時，你絕不要苦惱、驚慌，或沮喪。當不如意時，不要絕望、失去希望，或失去勇氣。

第三，絕對不要太嚴厲。絕不要太嚴厲、野蠻，或殘忍。絕不要對別人太嚴格、嚴厲，或苛刻。當應該玩樂時，絕不要太認真、嚴格，或嚴肅。此外，當與人爭論時，不要倔強、頑固，或不肯屈服。不要固執、沒有彈性，或頑固。也絕對不要對別人不情願、不讓步，或不肯妥協。並且，絕對不該猶豫、遲疑，或拖延你應該做的事。絕不要停頓、懷疑，或拖延你的任務。不要勉強、不確定，或猶豫不決。

還有，絕對不要隱瞞。不要隱瞞、掩飾，或隱藏你真實的自我。你不應該埋藏、隱藏，或偽裝。絕不要隱藏、隱瞞，或保密。同樣地，絕對不要害怕、恐懼，或受到驚嚇。絕不要因為任何事而擔心、驚慌，或害怕。不要為了小事而害怕、緊張，或恐慌。最後，不要放棄、屈服，或向任何人認輸。絕不要退縮、退出，或逃離任何事。遇到問題時，絕不要退縮、走開，或逃跑。這些就是你必須要知道，不應該做的事。

4. *How to Be Happy*
如何快樂

【開場白】

字首是 W {
Wow! 哇！
Welcome! 歡迎！
}
Hello! 哈囉！

I'm excited. 我很興奮。

都有 What {
What an honor!
真是榮幸！
What a privilege!
真是一項殊榮！
}

Be happy. 要快樂。
You deserve it.
這是你應得的。

有兩個 l → Listen and learn how.
要專心聽，並學習如何快樂。

How to Be Happy 開場白【背景説明】

　　開場白除了説：Ladies and gentlemen.（各位先生，各位女士。）、Hello, everyone.（哈囉，大家好。）以外，還可以説：*Wow!*（哇！）一個字。可加強語氣説成：*Wow*, what a pleasure it is to be here.（哇，很高興能來到這裡。）可説一個字：*Welcome!*（歡迎！）或 *Welcome* to my speech!（歡迎來聽我的演講！）不可説成：*Welcome to listen to my speech!*（誤）文法對，但美國人不説。*Hello!*（哈囉！）可加強語氣説成：*Hello!* Hope everyone is having a great day.（哈囉！希望大家今天過得愉快。）Hope 前省略主詞 I。

　　I'm excited.（我很興奮。）可加長爲：*I'm excited* to share this with you.（我很興奮能和你們分享這個。）*What an honor!*（真是榮幸！）可加長爲：*What an honor* it is to be here!（能來到這裡真是榮幸！）*What a privilege!*（真是一項殊榮！）可加強語氣説成：*What a privilege* it is to be here!（能來到這裡是一項特權！）【privilege〔ˋprɪvḷɪdʒ〕n. 特權；殊榮】

　　Be happy.（要快樂。）可説成：*Be happy* with your life.（對自己的生活要滿意。）*You deserve it.*（這是你應得的。）可加強語氣説成：*You deserve* to be happy.（你應該得到快樂。）*Listen and learn how.*（要專心聽，並學習如何快樂。）可説成：*Listen and learn how* to be happy. 意思相同。

1. Exercise. Exercise. Exercise.
運動、運動、運動。

同義句	Exercise.	要運動。
	Train.	要鍛鍊。
	Drill.	要反覆操練。

字首是 S	Practice.	要練習。
	Stretch.	要拉筋。
	Sweat.	要流汗。

都有 Get	Work out.	三個片語	要運動。
	Get moving.		要動一動。
	Get physical.		要多運動。

** ——————————

train

exercise² 〔ˈɛksəˌsaɪz〕 v. 運動

train¹ 〔 tren 〕 v. 訓練；鍛鍊

drill⁴ 〔 drɪl 〕 v. 反覆練習   practice¹ 〔ˈpræktɪs〕 v. 練習

stretch² 〔 strɛtʃ 〕 v. 伸展；伸展手腳   sweat³ 〔 swɛt 〕 v. 流汗

work out 運動   move¹ 〔 muv 〕 v. 動；活動身體

physical⁴ 〔ˈfɪzɪkl̩〕 adj. 身體的   ***get physical*** 運動

	Walk.	要走路。
字首是 Str	Stroll.	要散步。
	Stride.	要跨大步走。

	Jog.	要慢跑。
字首是 R	Run.	要跑步。
	Race.	要賽跑。

	Dash.	要猛衝。
字首是 Sp	Speed.	要快速前進。
	Sprint.	要全速衝刺。

4. How to Be Happy

＊＊

walk[1] 〔 wɔk 〕 v. 走路

stroll[5] 〔 strol 〕 v. 散步；漫步

stride[5] 〔 straɪd 〕 v. 跨大步走

jog

jog[2] 〔 dʒɑg 〕 v. 慢跑　　run[1] 〔 rʌn 〕 v. 跑

race[1] 〔 res 〕 v. 賽跑；快跑　　dash[3] 〔 dæʃ 〕 v. 猛衝

speed[2] 〔 spid 〕 v. 快速前進；加速

sprint[5] 〔 sprɪnt 〕 v. 全速衝刺

4. How to Be Happy

字首都是 S	*Swim*.		要游泳。
	Skate.	都有 Skate	要溜冰。
	Skateboard.		要溜滑板。

字尾是 ike	Bike.		要騎腳踏車。
	Hike.	字尾都是 e	要健行。
	Dance.		要跳舞。

球類運動	Play basketball.	要打籃球。
	Badminton.	要打羽毛球。
	Frisbee.	要玩飛盤。

**

swim¹ 〔 swɪm 〕 v. 游泳

skate³ 〔 sket 〕 v. 穿溜冰鞋溜冰

skateboard 〔 'sket͵bord 〕 v. 用滑板滑行

bike¹ 〔 baɪk 〕 v. 騎腳踏車　n. 腳踏車 (= *bicycle*)

hike³ 〔 haɪk 〕 v. 健行　　dance¹ 〔 dæns 〕 v. 跳舞

basketball¹ 〔 'bæskɪt͵bɔl 〕 n. 籃球

badminton² 〔 'bædmɪntən 〕 n. 羽毛球

Frisbee 〔 'frɪzbi 〕 n. 飛盤 (= *frisbee*)

badminton

1-1【背景説明】

運動會讓你忘卻煩惱，促進血液循環，讓你有精神。

Exercise.（要運動。）可説成：Let's *exercise*.（我們去運動吧。）
You must *exercise* daily.（你必須每天運動。）*Train*. 的主要
意思是「要訓練。」這裡作「要鍛鍊」解。You have to *train*
every day.（你必須每天鍛鍊。）He would *train* every day to
become fit.（為了變健康，他會每天鍛鍊。）【would 表「習慣」
fit〔fit〕*adj.* 健康的】*Drill*.（要反覆操練。）You must *drill* to
stay in shape.（你必須反覆操練，以保持健康。）【*in shape* 健康
的】We will *drill* every day to stay fit.（我們會每天操練，以保
持健康。）*drill* 的意思有：「鑽（孔）；操練；演習；練習；訓練」。

Practice.（要練習。）You must *practice* once a day to
stay in shape.（你必須每天練習一次，以保持身體健康。）If
you *practice*, the results will show.（如果你練習，就會看出
效果。）*practice* 後面可接名詞或動名詞，如 practice piano
（練習鋼琴）、practice running（練習跑步）、practice
swimming（練習游泳）等。

Stretch. 字面的意思是「要伸展。」也就
是「要拉筋。」You must *stretch* before
you exercise.（在運動前，你必須拉筋。）
After we *stretch*, we can start exercising.
（拉筋之後，我們就可以開始運動。）

stretch　拉筋

Sweat.（要流汗。）You must *sweat* to show your hard work.
（你必須流汗，表示你努力工作。）I started to *sweat* after
exercising for so long.（運動如此久之後，我開始流汗。）

Work out. (要運動。) You must *work out* to get stronger. (想要變得更強壯，你就必須運動。) He wanted to *work out* every day so he could look good. (他想每天運動，以便使自己看起來好看。) *Get moving*. (要動一動。) You must *get moving* to be healthy. (你必須要動一動才會健康。) I've got to *get moving* so I can be fit. (我必須動一動，才會健康。)【*I've got to* 我必須 (= *I have to*)】 *Get physical*. (要多運動。)

> **Get physical.**
> 要多運動。

You must *get physical* to improve. (你必須多運動才能改善。) Let's *get physical* so we can both get stronger. (我們一起運動吧，這樣我們兩個才能變得更強壯。) *physical* 的意思有：①身體的②物質的；有形的③外在的④物理學的。*get physical* 字面的意思是「動手動腳的」，在此引申為「運動」，字典上找不到，但美國人常用。

1-2 【背景説明】

Walk. (要走路。) You must *walk* to stay healthy. (你必須走路，以保持身體健康。) *Walking* is the best exercise. (走路是最好的運動。) *Stroll*. (要散步。) Let's *stroll* in the park. (我們在公園裡散步吧。) (= *Let's take a stroll in the park*.) We can *stroll* to school. (我們可以散步到學校上課。) *Stride*. (要跨大步走。) You must *stride* to be quick. (你必須跨大步走才快。) He *strode* along the street. (他大步走在街上。)

Jog. (要慢跑。) You must *jog* to stay in shape. (你必須慢跑才能保持健康。) *jog* 也可當名詞，如：She went on a morning *jog*.

（她早上去慢跑。）*Run.*（要跑步。）You must *run* to lose weight.
（為了減重，你必須跑步。）Let's *run* around the track.（我們去
跑道上繞著跑吧。）*Race.*（要賽跑。）Do you want to *race*?（你
要不要賽跑？）Let's *race* to the store.（我們賽跑看誰先到那家
商店。）You must *race* to win.（你要快跑才能贏。）

　　Dash.（要猛衝。）You must *dash* to win the race.（你必須
猛衝才能贏得賽跑。）He will *dash* across the street.（他會衝過
馬路。）*Speed.*（要快速前進。）You must *speed* to outrun
others.（你必須快速前進才能跑贏別人。）【outrun〔aʊtˋrʌn〕v. 跑
贏】He *sped* faster than others.（他前進的速度比別人快。）*speed*
的意思有：①快走②快速前進③加速④超速。*Sprint.*（要全速衝刺。）
You must *sprint* to be faster.（你必須全速衝刺才能更快。）Let's
sprint to see who can run 100m faster.（我們全速衝刺吧，看誰跑
一百公尺跑得比較快。）背 *sprint* 這個字，可先背 print（印刷）。

1-3【背景説明】

　　這一回是講運動的種類。*Swim.*（要游泳。）You must *swim*
to get in shape.（你必須游泳才能使身體健康。）We went to the
beach to *swim.*（我們去海灘游泳。）*Skate.*（要溜冰。）You must
skate to have fun.（你要玩得愉快，就要溜冰。）I like to roller-
skate and ice-*skate.*（我喜歡輪式溜冰和冰
刀溜冰。）*Skateboard.*（要溜滑板。）You
must *skateboard* to be excited.（你想要刺
激，就要溜滑板。）He loved to *skateboard*
everywhere he went.（他不管去哪裡都喜歡
溜滑板。）

skateboard
溜滑板

Bike.（要騎腳踏車。）*bike* 等於 bicycle，但現在 *bike* 較常用。You must *bike* to get good exercise.（你必須騎腳踏車，好好運動。）You should *bike* downtown.（你應該騎腳踏車去市中心。）*Hike.*（要健行。）You must *hike* to see great views.（你必須去健行，才能看到很棒的風景。）We decided to *hike* up the mountain.（我們決定去爬山。）一般用走的上山，都是 *hike*。*Dance.*（要跳舞。）You must *dance* to lose weight.（你必須跳舞才能減重。）*Dancing* is the best exercise there is.（跳舞是最好的運動。）【there is 用來加強語氣】

Play basketball.（要打籃球。）You must *play basketball*; it's really fun.（你一定要打籃球；它很有趣。）My favorite hobby is to *play basketball.*（我最喜愛的嗜好是打籃球。）*Badminton.* 在此指 Play *badminton.*（要打羽毛球。）I like to play *badminton* because it keeps me in shape.（我喜歡打羽毛球，因為它能使我保持健康。）You must try *badminton*; it will get you moving.（你一定要試試打羽毛球；它會讓你動起來。）*Frisbee.* 在此指 Play *Frisbee.*（要玩飛盤。）You must play *Frisbee*; it's very enjoyable.（你一定要玩飛盤；它會讓你非常愉快。）Let's go play *Frisbee* after school.（我們放學後去玩飛盤吧。）【go play = go and play】在文法上，「play + 運動名稱」，不加冠詞，不能說 *play the basketball*（誤）或 *play a basketball*（誤）。背了文法規則會忘，背了句子，使用了，就不會忘記。

2. *Advance. Advance. Advance.*
進步、進步、進步。

字首是 Pro	*Advance.* 〕同義句	要進步。
	Progress. 〕	要進步。
	Proceed.	要向前進。

字首是 G	Gain.	要有收穫。
	Grow.	要成長。
字中有 g ←	Upgrade. 【有兩個重音】	要升級。

字首是 I	Improve. 〕字尾都是 e	要改善。
	Increase. 〕	要增進。
	Enhance.	要增強。

4. How to Be Happy

** ————————————

advance[2] 〔 əd'væns 〕 *v.* 前進；進步

progress[2] 〔 prə'grɛs 〕 *v.* 進步；前進

proceed[4] 〔 prə'sid 〕 *v.* 前進　　gain[2] 〔 gen 〕 *v.* 獲得

grow[1] 〔 gro 〕 *v.* 成長　　upgrade[6] 〔 'ʌp'gred 〕 *v.* 升級

improve[2] 〔 ɪm'pruv 〕 *v.* 改善

increase[2] 〔 ɪn'kris 〕 *v.* 增加；提高；增進

enhance[6] 〔 ɪn'hæns 〕 *v.* 增強；改善；提高

progress

4. How to Be Happy

字首都是 A		
Attain.		要達到。
Achieve.		要達成。
Accomplish.		要完成。

字首都是 F		
Finish.		要完成。
Fulfill.		要實現。
Finalize.	字尾是 alize	要完成。

字首是 Co		
Realize.		要實現。
Complete.	字尾都是 e	要完成。
Conclude.		要結束。

** ————————————

attain⁶〔ə'ten〕v. 達到；獲得　　achieve³〔ə'tʃiv〕v. 達成

accomplish⁴〔ə'kɑmplɪʃ〕v. 完成

finish¹〔'fɪnɪʃ〕v. 結束；完成

fulfill⁴〔fʊl'fɪl〕v. 實現

finalize〔'faɪnḷ,aɪz〕v. 使完成；使結束

realize²〔'rɪə,laɪz〕v. 實現；了解

complete²〔kəm'plit〕v. 完成

conclude³〔kən'klud〕v. 結束；完成；下結論

finish

都有 pa	*Find a partner.*	要找一個夥伴。
	Pal.	要找一個朋友。
	Companion.	要找一個同伴。

字首是 A	Ally.	要找一個盟友。
	Associate. 〕字尾是 e	要找一個同事。
	Comrade.	要找一個同志。

字首是 B	Buddy.	要找一個好朋友。
	Best friend. 〕兩個片語	要找一個非常好的朋友。
	Soul mate.	要找一個知己。

＊＊ ─────────────

partner[2] 〔'pɑrtnɚ 〕 *n.* 夥伴
pal[3] 〔 pæl 〕 *n.* 夥伴；好友；朋友
companion[4] 〔 kəm'pænjən 〕 *n.* 同伴
ally[5] 〔'ælaɪ 〕 *n.* 盟友；支持者
associate[4] 〔 ə'soʃɪɪt 〕 *n.* 夥伴；同事
comrade[5] 〔'kɑmræd 〕 *n.* 同伴；夥伴；同志
buddy 〔'bʌdɪ 〕 *n.* 好朋友；兄弟；同伴；夥伴；搭檔
soul[1] 〔 sol 〕 *n.* 靈魂；心靈　　mate[2] 〔 met 〕 *n.* 同伴；伴侶
soul mate 密友；知己；知音

partner

4. How to Be Happy

2-1【背景説明】

進步是讓人最快樂的事,每天進步,不會變老,會變得更年輕、更有智慧。英文諺語説:Not to advance is to go back. (不進則退。) *Advance*. (要進步。) If you *advance* every day, you will be happy. (如果你每天進步,你會很快樂。) Everyone must *advance* in his life. (每個人在生活中都必須進步。) *Progress*. (要進步。) You must *progress* to be happy. (為了快樂,你必須進步。) He was *progressing* toward a better future. (他正朝著更美好的未來前進。) progress 動詞唸〔prə'grɛs〕,名詞唸成〔'prɑgrɛs〕,重音在第一個音節。*Proceed*. (要向前進。) You must *proceed* in your studies. (你必須繼續讀書。) (= *You must go forward in your studies*.) I wanted to *proceed* in my career path. (我想要在職業生涯中向前進。)

Gain. (要有收穫。) You must *gain* to become happier. (要變得更快樂,你必須要有收穫。) He *gained* 1,000 dollars. (他獲得一千元。) No pain, no *gain*. (【諺】不勞則無獲。) *Grow*. (要成長。) You must *grow* to become a better you. (你必須成長,變得更好。) I'd like to *grow* my business. (我想要讓我的事業成長。) *Upgrade*. (要升級。) She wanted to *upgrade* her phone. (她想要使她的電話升級。) You must *upgrade* your possessions. (你所擁有的東西必須要升級。)【possessions〔pə'zɛʃənz〕*n. pl.* 所有物】

Improve.（要改善。）You must *improve* your English.
（你必須改善你的英文。）I want to *improve* myself.（我想
要改善我自己。）*Increase.*（要增進。）You must *increase*
your hobbies.（你必須增加你的嗜好。）If I *increase* my
number of friends, I will be happier.（如果我的朋友增加，
我會更快樂。）*Enhance.*（要增強。）You must *enhance*
your abilities.（你必須增強你的能力。）I'd like to *enhance*
my various skills.（我想要增強我各方面的技能。）

2-2【背景說明】

　　進步包含完成一個目標、又一個目標，而不是只做一半。
Attain.（要達到。）You must *attain* your needs.（你必須達
成你的需要。）(= *You must achieve what you want.*) I'm
sure your goal will be *attained.*（我確信你的目標會達到。）
Achieve.（要達成。）You must *achieve* your goals.（你必
須達成你的目標。）I want to *achieve* my goal of losing 5kg.
（我想要達成減輕五公斤的目標。）*Accomplish.*（要完成。）
You must *accomplish* your objective.（你必須完成你的目
標。）I will *accomplish* any job I get.（我會完成我得到的
任何工作。）

　　Finish.（要完成。）You must *finish* your work.（你必
須完成你的工作。）He *finished* washing the dishes.（他碗
盤洗好了。）*Fulfill.*（要實現。）You must *fulfill* your desire.

（你必須實現你的願望。）【desire〔dɪ'zaɪr〕*n.* 慾望；願望】He had dreams he wanted to ***fulfill***.（他有想要實現的夢想。）***Finalize***.（要完成。）You must ***finalize*** your plans.（你必須完成你的計劃。）She will ***finalize*** her essay before she turns it in.（在交文章之前，她會把它寫完。）【***turn in*** 繳交】

    Realize.（要實現。）You must ***realize*** your goal.（你必須實現你的目標。）I ***realized*** what I wanted to do my whole life.（我知道我這一生想要做什麼事。）***realize*** 有兩個意思：①實現②了解。***Complete***.（要完成。）You must ***complete*** your tasks.（你必須完成你的任務。）I just need to ***complete*** this last part.（我只需要完成這最後的部份。）***Conclude***.（要結束。）You must ***conclude*** every meeting with an agreement.（結束每一場會議時，你都必須要達成協議。）She was going to ***conclude*** her speech.（她快要結束她的演講。）

這一回的同義字，有時可以代換。

I will
我會

- attain（達到）
- achieve（達成）
- accomplish（完成）
- fulfill（實現）
- realize（實現）

my dad's wish.
我爸爸的願望。

2-3【背景說明】

進步讓人快樂，進步包含達到目標、有收穫，朋友越來越多。
Find a partner.（要找一個夥伴。）You must ***find a partner*** to
be happy.（要快樂就必須找一個夥伴。）He's glad his ***partner***
is always there for him.（他很高興，他的夥伴總是在那裡陪著
他。）*Pal*. 在此指 Find a ***pal***.（要找一個朋友。）You must
find a ***pal*** to have fun.（要玩得愉快就必須找一個朋友。）Me
and my ***pal*** always have fun playing baseball.（我和我的朋友
在一起打棒球總是很愉快。）「筆友」是 pen ***pal***。*Companion*.
在此指 Find a ***companion***.（要找一個同伴。）You must get a
companion to not be lonely.（為了不要寂寞，你必須找一個同
伴。）My ***companion*** always helps me in times of need.（在
需要的時候，我的同伴總是會幫助我。）

Ally. 在此指 Find an ***ally***.（要找一個盟友。）***ally*** 是「支
持者；盟友」(= *someone who is ready to help you, especially
against someone else who is causing problems for you*)。You
need an ***ally*** to stand by your side.（你需要一個盟友站在
你這邊。）Because of her ***ally***, she could do anything.（因
為她有盟友，所以她可以做任何事。）ally 唸〔ˈælaɪ〕，不要唸
成〔əˈlaɪ〕*v.* 結盟。*Associate*. 在此指 Find an ***associate***.（要
找一個同事。）You need an ***associate*** to help you out.（你需
要同事幫助你。）【***help you out*** 幫助你 (= *help you*)】associate
唸〔əˈsoʃɪɪt〕，不要唸成〔əˈsoʃɪˌet〕*v.* 聯想；使有關係。*Comrade*.
在此指 Find a ***comrade***.（要找一個同志。）You need a ***comrade***

to look after you. (你需要一個同志來照顧你。) My *comrade* and I always stick with each other. (我的同志和我總是黏在一起。) 【stick〔stɪk〕*v.* 黏住　　*stick with sb.* 緊跟著某人】

Buddy. 在此指 Find a *buddy*. (要找一個好朋友。) 對於不認識的男生，美國人喜歡稱呼 buddy。如：Hey, *buddy*. What are you doing? (嘿，老兄。你在做什麼？) *buddy* 也可作「好朋友；夥伴；搭檔」解，可以指男或女。You need a *buddy* to help you through bad times. (你需要一個好朋友幫助你度過難關。) I never have a dull moment with my *buddy*. (我跟我的好朋友在一起時，一點都不會無聊。)【dull〔dʌl〕*adj.* 無聊的】*Best friend.* 在此指 Find a *best friend*. (要找一個非常好的朋友。) You need a *best friend* to always go to. (你需要一個非常好的朋友，隨時可以去找他。) (= *You need a best friend to always talk to.*) Her *best friend* was always there to cheer her up. (她最好的朋友隨時隨地會激勵她。) *Soul mate.* 在此指 Find a *soul mate*. (要找一個知己。) *soul mate* 的字面意思是「心靈伴侶」，但不是通俗的中文，老婆、情人可能是 *soul mate*，也可能不是。*soul mate* 可指男生或女生，翻作「知己；知音」才對，英文解釋是：someone who you have a special relationship with because you share the same feelings, attitudes, and beliefs。You need a *soul mate* to live a happy life. (要過快樂的生活，你需要一位知己。) I'm grateful to have met my *soul mate*. (我很感謝認識了我的知己。)【grateful〔'gretfəl〕*adj.* 感激的】

3. *Wealthy. Wealthy. Wealthy.*

有錢、有錢、很有錢。

字首都是 w	*Be wealthy.*	要有錢。
	Well-off. 〕都有 Well	要富裕。
	Well-to-do. 〕	要富有。

同義句	Rich.	要有錢。
	Moneyed. 〕字尾是 ed	要有錢。
	Loaded. 〕	要很富有。

同義句	Affluent.	要富裕。
	Prosperous.	要飛黃騰達。
	Comfortable.	要富裕。

**

wealthy[3] 〔'wɛlθɪ 〕 *adj.* 有錢的；富裕的
well-off 〔,wɛl'ɔf 〕 *adj.* 富裕的
well-to-do 〔'wɛltə'du 〕 *adj.* 富有的　　rich[1] 〔 rɪtʃ 〕 *adj.* 有錢的
moneyed[1] 〔'mʌnɪd 〕 *adj.* 富有的
loaded[3] 〔'lodɪd 〕 *adj.* 充滿的；很富有的 (= *very rich*)
affluent 〔'æfluənt 〕 *adj.* 富裕的；豐富的；富足的
prosperous[4] 〔'prɑspərəs 〕 *adj.* 繁榮的；成功的；飛黃騰達的
comfortable[2] 〔'kʌmfətəbl 〕 *adj.* 舒適的；富裕的

4. How to Be Happy

	Be free.	要自由。
同義句 {	Relaxed.	要放鬆。
	Easy-going.	要輕鬆自在。

字首都是 L {	Loose.	要放鬆。
	Liberal.	要自由。
	Laid-back.	要輕鬆。

字首都是 Un {	Unrestrained.	要不受拘束。
	Unrestricted.	要不受限制。
	Uncommitted. } 字尾是 ted	要不受約束。

** ———————————————

free[1] 〔 fri 〕 *adj.* 自由的
relaxed[3] 〔 rɪ'lækst 〕 *adj.* 放鬆的；悠閒的
easy-going 〔'izɪ'goɪŋ 〕 *adj.* 隨和的；輕鬆自在的
loose[3] 〔 lus 〕 *adj.* 鬆的；放鬆的；不受束縛的；自由的；放蕩的
liberal[3] 〔'lɪbərəl 〕 *adj.* 自由的；開明的；心胸寬大的
laid-back 〔'led,bæk 〕 *adj.* 悠閒的；懶散的；輕鬆的；從容不迫的
unrestrained[5] 〔,ʌnrɪ'strend 〕 *adj.* 無限制的；無拘束的
unrestricted[3] 〔,ʌnrɪ'strɪktɪd 〕 *adj.* 不受限制的
uncommitted[4] 〔,ʌnkə'mɪtɪd 〕 *adj.* 未承諾的；不受（誓約）
　約束的；自由的

free

字首是 c	{ *Seek charity.* Community. } 字尾是 ity	要找機會做善事。要融入社區。
字首是 A	Activities.	要尋找活動。
	Amusement.	要尋求娛樂。
字首是 En	{ Enjoyment. Entertainment. } 字尾是 ment	要尋找樂趣。要尋找娛樂。
字首都是 Re	{ Refreshment. Relaxation. Recreation. } 字尾是 ation	要恢復精神。要尋求放鬆。要尋找娛樂。

4. How to Be Happy

** ————————

seek[3] 〔 sik 〕 v. 尋找；尋求　　charity[4] 〔'tʃærətɪ〕 n. 慈善
community[4] 〔 kə'mjunətɪ 〕 n. 社區
activity[3] 〔 æk'tɪvətɪ 〕 n. 活動
amusement[4] 〔 ə'mjuzmənt 〕 n. 娛樂
enjoyment[2] 〔 ɪn'dʒɔɪmənt 〕 n. 樂趣
entertainment[4] 〔,ɛntɚ'tenmənt 〕 n. 娛樂
refreshment[6] 〔 rɪ'frɛʃmənt 〕 n. 恢復精神
relaxation[4] 〔,rilæks'eʃən 〕 n. 放鬆；消遣；娛樂
recreation[4] 〔,rɛkrɪ'eʃən 〕 n. 娛樂

amusement

3-1【背景説明】

要快樂，除了要運動、進步之外，還要有錢，沒有錢是最不自由的事。*Be wealthy*.（要有錢。）You must *be wealthy* to be happy.（要快樂，你就必須有錢。）You should *be wealthy* enough to afford your living expenses.（你應該要有足夠的錢負擔生活費用。）*Well-off*. 在此指 Be *well-off*.（要富裕。）You must be *well-off* to have fewer worries.（要減少煩惱，你必須富裕。）They were still *well-off* after buying the house.（買了房子之後，他們仍然富裕。）*Well-to-do*. 在此指 Be *well-to-do*.（要富有。）You must be *well-to-do* in order to be relaxed.（為了要輕鬆，你就必須富有。）They were *well-to-do* despite the loss.（雖然有損失，他們還是很富有。）wealthy, well-off, well-to-do 三個字一起背，才容易。

Rich. 在此指 Be *rich*.（要有錢。）You must be *rich* to live a good life.（為了過好日子，你必須有錢。）Being *rich* had made life much easier for him.（有錢讓他生活過得輕鬆很多。）*Moneyed*. 在此指 Be *moneyed*.（要有錢。）Be *moneyed* to afford a nice house.（要有錢才能買得起一間好房子。）The transfer student came from a *moneyed* family.（那個轉學生來自有錢的家庭。）【*transfer student* 轉學生】*Loaded*. 在此指 Be *loaded*.（要很富有。）You must be *loaded* to live easily.（想要日子過得輕鬆，你就必須很富有。）The family was *loaded*, so they went on trips constantly.（這個家庭非常富有，所以他們經常去旅行。）【*go on a trip* 去旅行 constantly *adv.* 總是；經常】動詞 load 的意思是「裝載；使充滿」。

　　Affluent. 在此指 Be *affluent.*（要富裕。）*affluent* 這個字雖然超出 7000 字範圍，但因為常見到，我們還是收錄。You must be *affluent* to afford your wants.（為了能夠負擔你的需要，你必須富裕。）【wants〔wɑnts〕*n. pl.* 想要的事物；需要的東西】He became *affluent* from investing.（他因為投資而變得富裕。）【invest〔ɪn'vɛst〕*v.* 投資】*Prosperous.* 在此指 Be *prosperous.*（要飛黃騰達。）You must be *prosperous* to enjoy life.（想要享受生活，你就必須飛黃騰達。）They live a *prosperous* and enjoyable life.（他們過著飛黃騰達又愉快的生活。）*Comfortable.* 在此指 Be *comfortable.* 主要的意思是「要舒適。」在這裡是「要富裕。」Be *comfortable*, and life will be great.（如果富裕的話，生活就會過得很棒。）They lived a *comfortable* lifestyle.（他們過著富裕的生活方式。）

3-2【背景説明】

　　有錢才能得到自由，做自己想做的事。*Be free.*（要自由。）You must *be free* to be happy.（為了快樂，你必須自由。）He felt *free* from everyone else.（當沒和其他人在一起時，他覺得很自由。）（= *He felt free when he wasn't with everyone else.*）*Relaxed.* 在此指 Be *relaxed.*（要放鬆。）（= *Relax.*）*relaxed* 源自動詞 relax（放鬆）。You must be *relaxed* to enjoy life.（為了享受人生，你必須放鬆。）He had a *relaxed* lifestyle.（他有一個輕鬆的生活方式。）

Relax.
Be relaxed.

Easy-going. 在此指 Be *easy-going.*（要輕鬆自在。）You must be *easy-going* to make friends.（要交朋友，你必須輕鬆自在。）She is very *easy-going*, which makes it easy to talk to her.（她非常輕鬆自在，和她談話很容易。）

　Loose. 在此指 Be *loose.*（要放鬆。）You must be *loose* to have fun.（要好好玩，你必須放鬆。）She was very *loose* when she wasn't working.（當她不工作時，她非常放鬆。）*Liberal.* 在此指 Be *liberal.*（要自由。）You must be *liberal* with your plans.（你必須公開你的計劃。）(= *You must be open and loose with what you will do.*) He was very *liberal* with how he dressed.（他的穿著很自由。）*Laid-back.* 在此指 Be *laid-back.*（要輕鬆。）You must be *laid-back* with others.（對別人你必須輕鬆。）His *laid-back* attitude made him likable.（他從容不迫的態度使他讓人喜歡。）laid-back 源自 lay back（使向後靠），坐在椅子上，向後靠，即是「放鬆」。

laid-back

　Unrestrained. 在此指 Be *unrestrained.*（要不受拘束。）You must be *unrestrained* when going all out.（當你盡全力的時候，你必須不受拘束。）(= *You must be unrestrained when giving it your all.*) The best part about being *unrestrained* is that the world is yours.（不受拘束最棒的部份就是，全世界都是你的。）*Unrestricted.* 在此指 Be *unrestricted.*（要不受限制。）You must be *unrestricted* when making your choices.（當你

做選擇時，你必須不受限制。）Being **unrestricted**, I felt I could take on anything.（因為不受限制，我覺得我可以承擔任何事。）*Uncommitted.* 在此指 Be **uncommitted**.（要不受約束。）She was **uncommitted** to others; she followed her own rules.（她不受別人約束；她有自己的原則。）commit 的意思是「委託；承諾」。

3-3【背景說明】

　　有了錢以後，不要忘記要樂善好施，尋找做好事的機會，才會快樂。*Seek charity.*（要找機會做善事。）*Seeking charity* and helping others makes you happy.（尋找機會做善事、幫助別人，會使你快樂。）【要用單數動詞 makes，因為說話的時候不會想到前面】If you are wealthy, you should **seek charity**.（如果你有錢，你應該找機會做善事。）*seek charity* 也可作「尋求救濟」解（= *ask for help*）。If you are poor, you can **seek charity**.（如果你很窮，你可以尋求救濟。）此時 charity 作「救濟金；救濟食品」解。*Community.* 在此指 Seek **community**.（要融入社區。）【詳見「英文一字金④快樂幸福經」p.15】You must seek **community** to not be lonely.（為了不要寂寞，你必須融入社區。）Seeking **community** will help you make new friends.（融入社區可以幫助你結交新朋友。）*Activities.* 在此指 Seek **activities**.（要尋找活動。）You must seek **activities** that you would enjoy.（你必須尋找你會喜歡的活動。）I like to do many **activities**.（我喜歡從事很多活動。）Go seek **activities**, and you'll be happy.（去尋找活動，你就會快樂。）

Amusement. 在此指 Seek *amusement*. (要尋求娛樂。)
You must seek *amusement* to have fun. (你要玩得愉快，就必
須尋求娛樂。) I love watching comedy for my *amusement*.
(我愛看喜劇，尋求娛樂。) *Enjoyment.* 在此指 Seek *enjoyment*.
(要尋找樂趣。) You must seek *enjoyment*. (你必須尋找樂
趣。) You must seek *enjoyment* in your life. (你必須在生活
中尋找樂趣。) She got *enjoyment* out of her hobbies. (她從
嗜好中得到樂趣。) *Entertainment.* 在此指 Seek *entertainment*.
(要尋找娛樂。) You must seek *entertainment* to be happy.
(爲了快樂，你必須尋找娛樂。) She loved watching movies
for *entertainment*. (她愛看電影，尋找娛樂。)

Refreshment. 在此指 Seek *refreshment*. (要恢復精神。)
You must seek *refreshment* to be healthy. (爲了健康，你必須
恢復精神。) The workers were in need of *refreshment*. (那些
工人需要恢復精神。) *Relaxation.* 在此指 Seek *relaxation*. (要
尋求放鬆。) You must seek *relaxation* to stay calm. (爲了保
持冷靜，你必須放鬆。) I was in a state of *relaxation* after
finishing my work. (做完工作以後，我很放鬆。)【state〔stet〕
n. 狀態】*Recreation.* 在此指 Seek *recreation*. (要尋找娛樂。)
You must seek *recreation*, or you'll be bored. (你必須尋找娛
樂，否則你就會無聊。) He plays basketball as *recreation*.
(他把打籃球當作娛樂。)

4. Feast. Feast. Feast.

大吃一頓。

字首是 Ba	*Have a feast.* 〕字尾是 t	要吃大餐。
	Banquet.	要舉辦宴會。
	Barbecue.	要舉辦戶外烤肉。

字首是 G	Party. 〕同義句	要舉辦聚會。
	Gathering.	要舉辦聚會。
	Get-together.	要舉辦聚會。

字首是 Re	Reunion. 〕字尾都是 ion	要舉辦同學會。
	Reception.	要舉辦歡迎會。
	Celebration.	要舉辦慶祝會。

**

feast[4] 〔 fist 〕 *n.* 盛宴　*v.* 大吃大喝
banquet[5] 〔'bæŋkwɪt 〕 *n.* 宴會；盛宴
barbecue[2] 〔'bɑrbɪ͵kju 〕 *n.* 戶外烤肉
party[1] 〔'pɑrtɪ 〕 *n.* 聚會；宴會；派對
gathering[5] 〔'gæðərɪŋ 〕 *n.* 聚會
get-together 〔'gɛttə͵gɛðɚ 〕 *n.* 聚會
reunion[4] 〔 rɪ'junjən 〕 *n.* (校友) 重聚聯歡會；(家人) 團圓
reception[4] 〔 rɪ'sɛpʃən 〕 *n.* 歡迎會；招待會
celebration[4] 〔͵sɛlə'breʃən 〕 *n.* 慶祝會

gathering

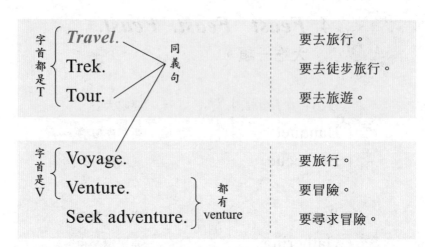

字首都是 T	*Travel*.	同義句	要去旅行。
	Trek.		要去徒步旅行。
	Tour.		要去旅遊。

字首是 V	Voyage.		要旅行。
	Venture.	都有 venture	要冒險。
	Seek adventure.		要尋求冒險。

字首是 A	Go overseas.	同義句	要到國外。
	Abroad.		要出國。
	Around the world.		要環遊世界。

4. How to Be Happy

**

travel² ('trævḷ) v. 旅行
trek⁶ (trɛk) v. 徒步旅行；艱苦跋涉
tour² (tʊr) v. n. 旅行；旅遊
voyage⁴ ('vɔɪ•ɪdʒ) v. n. 航海；航行；旅行
venture⁵ ('vɛntʃɚ) v. 冒險　　seek³ (sik) v. 尋求
adventure³ (əd'vɛntʃɚ) n. 冒險
overseas² ('ovɚ'siz) adv. 向海外；向國外
abroad² (ə'brɔd) adv. 到國外
around¹ (ə'raʊnd) prep. 遍及

trek

abroad

| | *Seek romance.* | 要尋找豔遇。 |
| 字首是 A | Affection.
Attachment. | 要尋找感情。
要尋找愛情。 |

| 字首是 F | Friendship.
Relationships.
Familiarity. | 都有 ship | 要尋找友誼。
要尋找戀愛關係。
要尋找親密關係。 |

| 字首是 D | Date.
Dine.
Fall in love. | 字尾都是 e | 要約會。
要吃飯。
要談戀愛。 |

** ——————————

seek³ (sik) v. 尋求

romance⁴ (ro'mæns , 'romæns) n. 羅曼史；愛情故事；戀愛

affection⁵ (ə'fɛkʃən) n. 愛；感情

attachment⁴ (ə'tætʃmənt) n. 依戀；感情；愛情

friendship³ ('frɛndʃɪp) n. 友誼

relationship² (rɪ'leʃənˌʃɪp) n. 關係；戀愛關係

familiarity⁶(fəˌmɪlɪ'ærətɪ) n. 熟悉；親密；親近

date¹ (det) v. 約會

dine³ (daɪn) v. 用餐；吃飯

fall in love 談戀愛

fall in love

4-1【背景說明】

吃大餐讓人最快樂。 *Have a feast.*（要吃大餐。）***Having a feast*** makes you happy.（吃大餐會讓你快樂。）(= *Having a feast will make you happy.*）We **had a feast** for Thanksgiving.（感恩節我們吃了大餐。）*Banquet.* 在此指 Have a ***banquet***.（要舉辦宴會。）We had a ***banquet*** at the end of school year.（在學年結束時，我們舉辦了宴會。）You must have a ***banquet*** to celebrate.（你必須舉辦宴會來慶祝。）*Barbecue.* 在此指 Have a ***barbecue***.（要舉辦戶外烤肉。）You must have a ***barbecue*** to have fun.（要玩得愉快，就必須舉辦戶外烤肉。）I'm having a ***barbecue*** during the summer.（夏天時我將舉辦戶外烤肉。）***barbecue*** 是一種聚會，但我們不說 *barbecue party*（誤）。

Party. 在此指 Have a ***party***.（要舉辦聚會。）You must have a ***party*** to be happy.（為了快樂，你必須舉辦聚會。）There was a ***party*** for her birthday.（有一場她的生日派對。）***party*** 是美國人聚會最常使用的字，可大可小，幾個人在一起聊天，也叫 ***party***，「舞會」也叫 ***party***。*Gathering.* 在此指 Have a ***gathering***.（要舉辦聚會。）You must have a ***gathering*** with your friends.（你必須和朋友聚會。）We had a ***gathering*** to see our old friends.（我們舉辦聚會，見見老朋友。）*Get-together.* 在此指 Have a ***get-together***.（要舉辦聚會。）***get-together*** 源自動詞片語 get together（聚在一起）。美國人常說：Let's ***get together*** sometime.（我們找個時間聚一聚吧。）We must have a ***get-together*** to keep in touch.（我們必須聚一聚，以保持連

絡。）We scheduled a ***get-together*** over the summer.（我們預定在夏天舉辦一場聚會。）【schedule〔ˈskɛdʒul〕*v.* 預定；安排 over = during，summer 可能是「夏天」或「暑假」】

　　Reunion. 在此指 Have a ***reunion***.（要舉辦同學會。）We had a high school ***reunion***.（我們舉辦了高中同學會。）You must have a ***reunion*** with your family.（你必須和家人團聚。）***Reception.*** 在此指 Have a ***reception***.（要舉辦歡迎會。）***reception*** 是 receive 的名詞，主要的意思是「接受；接待」，引申為「接待處；接待會；歡迎會」等，「婚宴」是 wedding ***reception***。You must have a ***reception*** after the wedding.（婚禮結束後，你必須舉辦婚宴。）There will be a ***reception*** for the new president.（將為新校長舉辦歡迎會。）【president *n.* 總統；總裁；（大學）校長】***Celebration.*** 在此指 Have a ***celebration***.（要舉辦慶祝會。）You must have a ***celebration*** for your friend's birthday.（你必須為你的朋友舉辦慶生會。）We had a ***celebration*** for our brother's graduation.（我們為我們的兄弟畢業舉辦慶祝會。）

4-2【背景說明】

　　吃完大餐後，一定要到處走走，才不致於變胖。旅行會讓你快樂。***Travel.***（要去旅行。）You must ***travel*** as much as possible.（你必須儘可能常去旅行。）We ***traveled*** to France over the summer.（我們夏天到法國去旅遊。）***Trek.***（要去徒步旅行。）You must ***trek*** the unknown.（你必須走到自己不知道的地方。）（= *You must trek to new places.*）We ***trekked*** through the jungle.（我們走過叢林。）***Tour.***（要去旅遊。）You must ***tour*** many countries. (你必須到許多國家旅遊。) (= *You must take tours to many countries.*) I wanted to ***tour*** America. (我想要在美國旅遊。) (= *I wanted to travel around America.*)

　　Voyage. (要旅行。) You must ***voyage*** to other countries. (你一定要到其他國家旅行。) (= *You must go on a journey to other countries.*) We ***voyaged*** across the sea. (我們搭船渡海旅行。) (= *We took a journey across the sea by boat.*) 當朋友要出國旅遊時，你可以跟他說：Bon ***voyage***! 〔ˌbɑn vɔɪˈɑʒ 〕 (一路平安，旅途愉快！) (= *Have a great journey!*) *Venture.* (要冒險。) Nothing ***ventured***, nothing gained. (【諺】不入虎穴，焉得虎子。) You must ***venture*** out to different areas. (你必須出去，到不同的地區去冒險。) 【venture out 相當於 go out，也可只用 venture】 *Seek adventure.* (要尋求冒險。) You must ***seek adventure*** in new places. (你必須在新的地方尋求冒險。) I like to ***seek adventure*** wherever I go. (無論去哪裡，我都喜歡尋求冒險。) 在美國人心中的 *venture* 和 *adventure*，和我們的想法不一樣。美國人的想法比較廣，有點刺激的，都叫冒險。*adventure* 的定義是：an exciting, unusual, and sometimes dangerous experience。右圖是我們常看到的美國旅行團的廣告：

Go overseas.（要到國外。）You must *go overseas* to have new experiences.（你必須到國外才能有新的經驗。）Let's *go overseas* during the summer.（我們夏天到國外去吧。）美語中，無 *oversea*（誤）這個字。*Abroad.* 在此指 Go *abroad.*（要出國。）Going *abroad* makes you happy.（出國會讓你快樂。）I really enjoyed my time *abroad* in America.（我出國去美國非常愉快。）

【go abroad = go overseas】*Around the world.* 在此指 Go *around the world.*（要環遊世界。）You must go *around the world* to enjoy other cultures.（你必須環遊世界，享受其他的文化。）He wanted to explore *around the world*.（他想要到全世界去探險。）

【explore〔ɪk'splor〕v. 探險】

around the world

4-3 【背景說明】

　　吃飯、旅遊，加上談戀愛，是人生最快樂的事。美國人約女朋友，第一步先吃飯，第二步看電影，第三步旅遊，就可以名正言順不回家了。*Seek romance.*（要尋找豔遇。）You must *seek romance* with another.（你一定要找個人談戀愛。）Their *romance* grew over the summer.（他們的愛情在夏天時有進展。）*Affection.* 在此指 Seek *affection.*（要尋找感情。）You must seek *affection* to be happy.（為了快樂，你必須尋找感情。）He showed his *affection* to her.（他表現出對她的感情。）*Attachment.* 在此指 Seek *attachment.*（要尋找愛情。）attach 的意思是「附上；貼上」，*attachment* 主要的意思是「連接；黏結劑；附件」，在這裡引申為「依戀；感情；愛情」。Seek *attachment.* 字面的意思是「要尋找可以依附的東西。」引申為「要尋找愛情。」(= *Look for affection.*)

你看美語多麼幽默。You must seek *attachment* to not be lonely. （為了不要寂寞，你必須尋找愛情。）She formed an *attachment* with him. （她愛上了他。）(= *She fell in love with him.*)

Friendship. 在此指 Seek *friendship*. （要尋找友誼。）You must seek *friendship* in your life. （在你的人生中，你必須尋找友誼。）He valued his *friendship* the most. （他最重視他的友誼。）*Relationships*. 在此指 Seek *relationships*. （要尋找戀愛關係。）*relationship* 是可數名詞，不可說成：*Seek relationship*. （誤）You must seek *relationships* to be loved. （想要被愛，就得談戀愛。）He always wanted to be in a *relationship*. （他總是想要談戀愛。）*Familiarity*. 在此指 Seek *familiarity*. （要尋找親密關係。）You must seek *familiarity* to feel comfortable. （你必須尋找熟悉的人才能覺得愉快。）(= *You must look for close acquaintances to feel comfortable.*)Her *familiarity* with everyone made her comfortable. （她跟每個人都親近，使得她很愉快。）*Familiarity* breeds contempt. （【諺】熟悉產生輕視。）

Date. （要約會。）You must *date* the one you like. （你必須和你喜歡的人約會。）(= *You must have a date with the one you like.*)和喜歡的人吃飯是非常愉快的事，如果為了其他目的，和不喜歡的人吃飯，很痛苦、很傷身體。I used to *date* that girl. （我從前和那個女孩約會。）*Dine*. （要吃飯。）You must *dine* with your lover. （你必須和你的愛人吃飯。）She *dined* with him. （她和他一起吃飯。）*Fall in love*. （要談戀愛。）You must *fall in love* to live a good life. （為了過好日子，你必須談戀愛。）He *fell in love* the moment he saw her. （他一看到她，便愛上她。）【*the moment* 是連接詞片語，引導副詞子句，表「一…就」】

【How to Be Happy 結尾語】

My talk ends here.
我的演講到此結束。
Hope you liked it. 希望你們喜歡。
I wish you all the best.
我祝大家萬事如意。

句意相關 {
Life is short. 生命很短暫。
Don't waste time. 不要浪費時間。
Go find happiness. 要去尋找快樂。
}

都有 It's a {
It's a state of mind.
它是一種心態。
It's a choice. 它是一個選擇。
Choose to be happy now.
現在就選擇要快樂。
}

快樂幸福的祕訣：1. 運動、運動、運動。 2. 進步、進步、進步。
3. 有錢、有錢、有錢。 4. 要吃好東西。

How to Be Happy 結尾語【背景説明】

演講的結尾語很重要，講得好，台下的人會給你熱烈的掌聲。最高的境界，是全體起立鼓掌，但需要有人帶動。*My talk ends here.*（我的演講到此結束。）可説成：My speech ends here. 或 That's the end of my talk. 意思相同。*Hope you liked it.*（希望你們喜歡。）源自 I *hope you liked it.* 可説成：*Hope you liked it* as much as I did.（希望你們和我一樣喜歡。）美國人在口語中，尤其是 hope 和 want，往往不説主詞 I。*I wish you all the best.*（我祝大家萬事如意。）可説成：*I wish you all the best* with your lives.（我祝大家生活一切如意。）此時主詞 I 不能省略。不可説成：*Wish you all the best.*（誤）

Life is short.（生命很短暫。）可加強語氣説成：*Life is short.* Make the most of it.（人生苦短，要善加利用。）【*make the most of* 儘量利用】*Don't waste time.*（不要浪費時間。）可加長爲：*Don't waste time*, or you'll regret it.（不要浪費時間，否則你會後悔。）*Go find happiness.*（要去尋找快樂。）源自 *Go* and *find happiness.* 可説成：*Go find happiness* in your life.（要去尋找生活中的快樂。）

It's a state of mind.（它是一種心態。）Being happy *is a state of mind.*（快樂是一種心態。）【state〔stet〕 n. 狀態　*state of mind* 心態】*It's a choice.*（它是一個選擇。）可加長爲：*It's a choice* to enjoy your life.（享受生活是一個選擇。）*Choose to be happy now.*（現在就選擇要快樂。）可加長爲：*Choose to be happy now*, and life will be great.（現在選擇要快樂，你就會有很棒的人生。）

4. *How to Be Happy*

Edward　　Stephanie

【開場白】

Wow! 哇！
Welcome! 歡迎！
Hello! 哈囉！

I'm excited. 我很興奮。
What an honor! 真是榮幸！
What a privilege! 真是一項殊榮！

Be happy. 要快樂。
You deserve it. 這是你應得的。
Listen and learn how.
要專心聽，並學習如何快樂。

*1. Exercise. Exercise.
Exercise.*

Exercise. 要運動。
Train. 要鍛鍊。
Drill. 要反覆操練。

Practice. 要練習。
Stretch. 要拉筋。
Sweat. 要流汗。

Work out. 要運動。
Get moving. 要動一動。
Get physical. 要多運動。

Walk. 要走路。
Stroll. 要散步。
Stride. 要跨大步走。

Jog. 要慢跑。
Run. 要跑步。
Race. 要賽跑。

Dash. 要猛衝。
Speed. 要快速前進。
Sprint. 要全速衝刺。

Swim. 要游泳。
Skate. 要溜冰。
Skateboard. 要溜滑板。

Bike. 要騎腳踏車。
Hike. 要健行。
Dance. 要跳舞。

Play basketball. 要打籃球。
Badminton. 要打羽毛球。
Frisbee. 要玩飛盤。

2. Advance. Advance. Advance.

Advance. 要進步。
Progress. 要進步。
Proceed. 要向前進。

Gain. 要有收穫。
Grow. 要成長。
Upgrade. 要升級。

Improve. 要改善。
Increase. 要增進。
Enhance. 要增強。

Attain. 要達到。
Achieve. 要達成。
Accomplish. 要完成。

Finish. 要完成。
Fulfill. 要實現。
Finalize. 要完成。

Realize. 要實現。
Complete. 要完成。
Conclude. 要結束。

Find a partner. 要找一個夥伴。
Pal. 要找一個朋友。
Companion. 要找一個同伴。

Ally. 要找一個盟友。
Associate. 要找一個同事。
Comrade. 要找一個同志。

Buddy. 要找一個好朋友。
Best friend.
要找一個非常好的朋友。
Soul mate. 要找一個知己。

3. Wealthy. Wealthy. Wealthy.

Be wealthy. 要有錢。
Well-off. 要富裕。
Well-to-do. 要富有。

Rich. 要有錢。
Moneyed. 要有錢。
Loaded. 要很富有。

Affluent. 要富裕。
Prosperous. 要飛黃騰達。
Comfortable. 要富裕。

Be free. 要自由。
Relaxed. 要放鬆。
Easy-going. 要輕鬆自在。

Loose. 要放鬆。
Liberal. 要自由。
Laid-back. 要輕鬆。

Unrestrained. 要不受拘束。
Unrestricted. 要不受限制。
Uncommitted. 要不受約束。

Seek charity. 要找機會做善事。
Community. 要融入社區。
Activities. 要尋找活動。

Amusement. 要尋求娛樂。
Enjoyment. 要尋找樂趣。
Entertainment. 要尋找娛樂。

Refreshment. 要恢復精神。
Relaxation. 要尋求放鬆。
Recreation. 要尋找娛樂。

4. Feast. Feast. Feast.

Have a feast. 要吃大餐。
Banquet. 要舉辦宴會。
Barbecue. 要舉辦戶外烤肉。

Party. 要舉辦聚會。
Gathering. 要舉辦聚會。
Get-together. 要舉辦聚會。

Reunion. 要舉辦同學會。
Reception. 要舉辦歡迎會。
Celebration. 要舉辦慶祝會。

Travel. 要去旅行。
Trek. 要去徒步旅行。
Tour. 要去旅遊。

Voyage. 要旅行。
Venture. 要冒險。
Seek adventure. 要尋求冒險。

Go overseas. 要到國外。
Abroad. 要出國。
Around the world. 要環遊世界。

Seek romance. 要尋找豔遇。
Affection. 要尋找感情。
Attachment. 要尋找愛情。

Friendship. 要尋找友誼。
Relationships.
要尋找戀愛關係。
Familiarity. 要尋找親密關係。

Date. 要約會。
Dine. 要吃飯。
Fall in love. 要談戀愛。

【結尾語】

My talk ends here.
我的演講到此結束。
Hope you liked it.
希望你們喜歡。
I wish you all the best.
我祝大家萬事如意。

Life is short. 生命很短暫。
Don't waste time.
不要浪費時間。
Go find happiness.
要去尋找快樂。

It's a state of mind.
它是一種心態。
It's a choice. 它是一個選擇。
Choose to be happy now.
現在就選擇要快樂。

4. How to Be Happy

【作文範例】

How to Be Happy

This is what we must do to be happy. *First*, we must exercise. We should exercise, train, and drill to stay healthy. It is important to practice, stretch, and sweat. We must work out, get moving, and get physical to lose weight. *In addition*, we should walk, stroll, and stride to stay active. We need to jog, run, and race to get moving—dash, speed, and sprint to run fast. *Similarly*, we must swim, skate, and skateboard to be fit. We need to bike, hike, and dance. We can play basketball, badminton, and Frisbee to have fun.

Secondly, we must advance. We should advance, progress, and proceed. We need to gain, grow, and upgrade in our lives. It is important to improve, increase, and enhance our skills. *Also*, we must attain, achieve, and accomplish our goals—finish, fulfill, and finalize our work. We must realize, complete, and conclude. *Next*, we must find a partner. We must find a partner, pal, and companion to not be alone, an ally, associate, and comrade to keep us company. We have to look for a buddy, a best friend, and a soul mate to be with.

Thirdly, we need to be wealthy. We must be wealthy, well-off, and well-to-do. We should be rich, moneyed, and loaded to afford what we want. It is important to be affluent, prosperous, and comfortable to live an easier life. *Moreover*, we must be free, relaxed, and easy-going. We should have a loose, liberal, and laid-back lifestyle. We should be unrestrained, unrestricted, and uncommitted. *Additionally*, we must seek charity, community, and activities. We should strive to help others. It is also important to seek enjoyment, entertainment, and amusement to have fun. We need to seek refreshment, relaxation, and recreation to be happy.

Furthermore, we must feast. We should have a feast, banquet, or barbecue with our friends. We can set up a party, gathering, or get-together to interact with others. We can have a reception, reunion, or celebration with our family. *Besides*, we must travel, trek, and tour other countries. We can go on a voyage, venture, and seek adventure to experience something new. We can go overseas, go abroad, or go around the world so that we can broaden our horizons. *Finally*, we must seek romance, affection, and attachment with someone. We must look for friendship, relationships, and familiarity with new people. We should date, dine and fall in love to experience true happiness. If we follow these words, then we will live a happy life.

【翻譯】

如何才能快樂

　　以下就是想要快樂，我們必須要做的事。首先，我們必須運動。我們應該運動、鍛鍊，及反覆操練，以保持健康。練習、拉筋，以及流汗，是很重要的。想要減重，我們必須健身、動一動，並且多運動。此外，我們應該走路、散步，以及跨大步走，以保持活躍。我們需要慢跑、跑步，或賽跑，讓自己動起來——猛衝、快速前進，以及全速衝刺，才能

跑得快。同樣地，想要健康，我們必須游泳、溜冰，以及溜滑板。我們需要騎腳踏車、健行，和跳舞。想要玩得愉快，我們可以打籃球、打羽毛球，或玩飛盤。

第二，我們必須進步。我們應該要進步、提升，並向前進。在生活中，我們必須有收穫、成長，並升級。改善、增加，並加強我們的技能，是很重要的。而且，我們必須達到、達成，並完成我們的目標——完成、實現，並做完我們的工作。我們必須實現、完成，並結束。接下來，我們必須找一個夥伴。我們必須找一個夥伴、朋友，和同伴，才不會孤單，要找一個盟友、同事，和同志來陪伴我們。我們必須尋找一個好朋友、非常好的朋友，和知己，來和我們在一起。

第三，我們必須要有錢。我們必須有錢、富裕，和富有。我們應該要有錢、富有，而且富裕，才能負擔我們想要的。想要過比較輕鬆的生活，充裕、飛黃騰達，和富裕是很重要的。此外，我們必須自由、放鬆，而且輕鬆自在。我們應該要有一個放鬆、自由，而且輕鬆的生活方式。我們應該不受拘束、不受限制，而且不受約束。還有，我們必須找機會做善事、融入社區，並尋找活動。我們應該努力幫助別人。而為了玩得愉快，尋求娛樂、尋找樂趣以及消遣，也是很重要的。想要快樂，我們必須恢復精神、放鬆，並尋找娛樂。

此外，我們必須吃大餐。我們應該和朋友吃大餐、舉辦宴會，或戶外烤肉。我們可以舉辦派對、集會，或聚會，和其他人互動。我們可以和家人舉辦歡迎會、團聚，或舉辦慶祝會。還有，我們必須到其他國家旅行、徒步旅行，和遊覽。我們可以去旅行、探險，以及冒險，以體驗新事物。我們可以到海外、出國，或環遊世界，這樣可以拓展眼界。最後，我們必須尋找豔遇、感情，並且找人談戀愛。我們必須尋找和新的人的友誼、戀愛關係，以及親密關係。我們應該要約會、吃飯，和談戀愛，以體驗真正的快樂。如果我們聽從這些話，就能過著快樂的生活。

5. Eat Healthy

5. Eat Healthy

【開場白】

句意相關
{
Perfect. 太完美了。
How nice! 真好！
You're here! 你們都在這裡！
}

都有 Eat
{
I have a message. 我有一個訊息。
It's "Eat Healthy."
那就是「要吃得健康」。
Eat right. 要吃得正確。
}

都有 Live
{
Live longer. 要活得更久。
Live better. 要活得更好。
Let's begin. 我們開始吧。
}

Eat Healthy 開場白【背景説明】

　　開場白除了常用 Ladies and gentlemen.（各位先生，各位女士。）、Hello, everyone.（哈囉，大家好。）之外，還可以直接説：*Perfect.*（太完美了。）或 *Perfect* to see everyone here.（看到大家在這裡，真是太完美了。）（= *It's perfect to see everyone here.*）*How nice!*（真好！）源自 *How nice* it is to be here!（能來到這裡真好！）*You're here!*（你們都在這裡！）可加強語氣説成：*You're here*, great!（你們都在這裡，真棒！）

　　I have a message.（我有一個訊息。）可加強語氣説成：*I have a message* for you all.（我有一個訊息要告訴大家。）*It's "Eat Healthy."*（那就是「要吃得健康」。）可説成：*It's "Eat Healthy"* so you can stay in shape.（那就是「要吃得健康」，你才能保持健康。）*Eat right.*（要吃得正確。）*Eat right*, and you will be healthy.（吃得對，你就會健康。）

　　Live longer.（要活得更久。）可説成：Eat healthy, and you will *live longer.*（吃得健康，你就會活得更久。）*Live better.*（要活得更好。）可説成：You will *live better* if you listen closely.（如果你仔細聽，你就會活得更好。）*Let's begin.*（我們開始吧。）可説成：*Let's begin* the speech.（我們開始演講吧。）

1. Choose wisely. 要聰明地選擇。

Eat according to your nature.	要按照你的體質吃東西。
If you often feel cold, that means you have a cold-natured body.	如果你常覺得冷，那就表示你有寒性體質。
You must eat hot-natured foods to warm you up.	你必須吃熱性食物使你變得溫暖。

字首是 d
These include dates.	這些食物包括棗子。
Durians.	榴槤。
Almonds.	杏仁。

Longans and lichees.	龍眼和荔枝。
Cherries and peaches.	櫻桃和桃子。
Guavas and olives.	番石榴和橄欖。

** ——————

nature[1] (ˈnetʃɚ) *n.* 性質　　cold-natured *adj.* 寒性的
hot-natured *adj.* 熱性的　　***warm up*** 使溫暖　　date[1] (det) *n.* 棗子
durian (ˈdurɪən) *n.* 榴槤　　almond[2] (ˈɑmənd , ˈæmənd) *n.* 杏仁
longan (ˈlɑŋgən) *n.* 龍眼　　lichee (ˈlitʃi) *n.* 荔枝
cherry[3] (ˈtʃɛrɪ) *n.* 櫻桃　　peach[2] (pitʃ) *n.* 桃子
guava[2] (ˈgwɑvə) *n.* 番石榴；芭樂　　olive[5] (ˈɑlɪv) *n.* 橄欖

If you often feel hot, you have a hot-natured body.	如果你常覺得熱，你就有熱性體質。
You have to eat cold-natured foods.	你必須吃寒性食物。
They'll lower your body heat.	它們會降低你身體的熱。

字首是 p

They include pears.	它們包括梨子。
Pomelos.	柚子。
Persimmons.	柿子。

字尾是 ons

Plums and melons.	李子和香瓜。
Watermelons and strawberries.	西瓜和草莓。
Mulberries and bananas.	桑椹和香蕉。

**

lower² 〔'loɚ〕 v. 降低　　heat¹ 〔hit〕 n. 熱
include² 〔ɪn'klud〕 v. 包括
pear² 〔pɛr〕 n. 梨子　　pomelo 〔'pɑməlo〕 n. 柚子
persimmon 〔pɚ'sɪmən〕 n. 柿子　　plum³ 〔plʌm〕 n. 李子
melon² 〔'mɛlən〕 n. 香瓜
watermelon² 〔'wɔtɚ͵mɛlən〕 n. 西瓜
strawberry² 〔'strɔ͵bɛrɪ〕 n. 草莓
mulberry 〔'mʌl͵bɛrɪ〕 n. 桑椹　　banana¹ 〔bə'nænə〕 n. 香蕉

heat

watermelon

5. Eat Healthy

都有 fruit	*Eat starfruit.*	要吃楊桃。
	Grapefruit.	葡萄柚。
	Dragon fruit.	火龍果。

字首是 T	Tomatoes.	蕃茄。
	Tangerines.	橘子。
	Kiwis.	奇異果。

字首是 Mango（芒果）	Loquats.	枇杷。
	Mangosteens.	山竹。
wax 是「蠟」	Wax apples.	蓮霧。

** ————————————————

starfruit〔'stɑr,frut〕*n.* 楊桃
grapefruit[4]〔'grep,frut〕*n.* 葡萄柚
dragon[2]〔'drægən〕*n.* 龍
dragon fruit 火龍果
tomato[2]〔tə'meto〕*n.* 蕃茄
tangerine[2]〔'tændʒə,rin〕*n.* 橘子
kiwi〔'kiwɪ〕*n.* 奇異果　　loquat〔'lokwɑt〕*n.* 枇杷
mangosteen〔'mæŋgə,stin〕*n.* 山竹
wax[3]〔wæks〕*n.* 蠟
wax apple 蓮霧

starfruit

tomato

wax apple

2. Avoid toxic foods.
不要吃有毒的食物。

Feel lazy?	覺得很懶散？
Sluggish?	覺得懶洋洋的？
Avoid toxic foods.	不要吃有毒的食物。

字首都是 a，A 之後是 B

No alcohol.	不要喝酒。
Animal organs.	不要吃動物內臟。
Artificial sweeteners.	不要吃人工甜味劑。
Barbecue or fat.	不要吃燒烤或肥肉。
Fried foods or MSG.	不要吃油炸食品或味精。
Instant noodles or pickled products.	不要吃速食麵或醃漬品。

** ─────────────

lazy[1] ('lezɪ) *adj.* 懶惰的　　sluggish ('slʌgɪʃ) *adj.* 懶洋洋的
toxic[5] ('taksɪk) *adj.* 有毒的　　alcohol[4] ('ælkə,hɔl) *n.* 酒類
organ[2] ('ɔrgən) *n.* 器官　　*artificial sweetener* 人工甜味劑
barbecue[2] ('barbɪ,kju) *n.* 燒烤　　fat[1] (fæt) *n.* 肥肉
fried[3] (fraɪd) *adj.* 油炸的　　MSG ('ɛm'ɛs'dʒi) *n.* 味精
instant[2] ('ɪnstənt) *adj.* 立即的；速食的
noodle[2] ('nudḷ) *n.* 麵　　pickled[3] ('pɪkḷd) *adj.* 醃泡的

Have constipation?　　　　　會便祕嗎？

Bad breath?　　　　　　　　會口臭嗎？

Eat detox foods.　　　　　　要吃排毒食物。

字
首
是
b

Like broccoli.　｜同　　　像是綠花椰菜。
　　　　　　　　｝種
Cauliflower.　　｜類　　　花椰菜。

Bamboo shoots.　　　　　　竹筍。

A
之
後
是
B

Asparagus.　　　　　　　　蘆筍。

Brown rice and seaweed.　　糙米和海帶。

Wood ear and sweet potato　木耳和地瓜葉。
leaves.

＊＊ ───────────────

constipation〔͵kɑnstə'peʃən〕*n.* 便祕

breath[3]〔brɛθ〕*n.* 氣息；呼吸　***bad breath*** 口臭

detox〔'ditɑks〕*n.* 排毒　broccoli〔'brɑkəlɪ〕*n.* 綠花椰菜

cauliflower〔'kɔlə͵flaʊɚ〕*n.* 花椰菜

bamboo[2]〔bæm'bu〕*n.* 竹子

shoot[2]〔ʃut〕*n.* 新芽；嫩枝

bamboo shoots 竹筍

bamboo shoots

asparagus〔ə'spærəgəs〕*n.* 蘆筍

brown rice 糙米　　seaweed〔'si͵wid〕*n.* 海帶

wood ear 木耳　　***sweet potato leaves*** 地瓜葉

同義句
Want to lose weight? | 想要減重嗎？
Burn calories? | 想要燃燒卡路里嗎？
Eat foods that boost metabolism. | 要吃能促進新陳代謝的食物。

字首都是 c
Try cod. | 要試試鱈魚。
Corn. | 玉米。
Clams. | 蛤蜊。

字首是 G
Garlic. | 大蒜。
Green tea. | 綠茶。
Pumpkin seeds. | 南瓜子。

** ─────────

lose² 〔 luz 〕 *v.* 減輕　　weight¹ 〔 wet 〕 *n.* 體重

calorie⁴ 〔'kælərɪ〕 *n.* 卡路里　　boost⁶ 〔 bust 〕 *v.* 提高

metabolism 〔 mə'tæbḷˌɪzəm 〕 *n.* 新陳代謝

cod 〔 kɑd 〕 *n.* 鱈魚　　corn¹ 〔 kɔrn 〕 *n.* 玉米

clam⁵ 〔 klæm 〕 *n.* 蛤蜊　　garlic³ 〔'gɑrlɪk 〕 *n.* 大蒜

green tea 綠茶　　pumpkin² 〔'pʌmpkɪn 〕 *n.* 南瓜

seed¹ 〔 sid 〕 *n.* 種子

garlic

3. Strengthen your immune system. 要增強免疫力。

Do you often catch colds?	你常感冒嗎？
Are you vulnerable to illness?	你容易生病嗎？
Eat these foods to improve your immune system.	要吃這些食物來改善你的免疫系統。

字首是 C
{ Crab. | 螃蟹。
Cheese. | 乳酪。
Yogurt. } 都含有牛奶成份 | 優格。

S 之後是 T
{ Shrimp and squid. | 蝦子和墨魚。
Tuna and bell pepper. | 鮪魚和彩椒。
Bitter squash and pine nuts. | 苦瓜和松子。

** ———————

vulnerable[6] ﹝ˈvʌlnərəbḷ﹞ *adj.* 易受傷害的；易受影響的 < to >
immune[6] ﹝ɪˈmjun﹞ *adj.* 免疫的   crab[2] ﹝kræb﹞ *n.* 螃蟹
cheese[3] ﹝tʃiz﹞ *n.* 乳酪；起司   yogurt[4] ﹝ˈjogət﹞ *n.* 優格
shrimp[2] ﹝ʃrɪmp﹞ *n.* 蝦子   squid ﹝skwɪd﹞ *n.* 墨魚
tuna[5] ﹝ˈtunə﹞ *n.* 鮪魚   bell pepper ﹝ˈbɛlˈpɛpə﹞ *n.* 彩椒
bitter squash ﹝ˈbɪtəˈskwɑʃ﹞ *n.* 苦瓜   pine[3] ﹝paɪn﹞ *n.* 松樹
nut[2] ﹝nʌt﹞ *n.* 堅果   *pine nut* 松子

5. Eat Healthy

句意相關	*Want to relieve your cough?*	想要緩解咳嗽嗎？
	Dissolve mucus?	想要化痰嗎？
	Eat these.	就吃這些食物。

止咳三寶	Ginger.	薑。
	Kumquats.	金桔。
	Lemonade.	檸檬水。

都有 Duck	Duck meat.	鴨肉。
	Duck eggs.	鴨蛋。
	Jellyfish.	海蜇皮。

**

relieve⁴ 〔 rɪ'liv 〕 *v.* 減輕；緩和
cough² 〔 kɔf 〕 *n.* 咳嗽　　dissolve⁶ 〔 dɪ'zɑlv 〕 *v.* 溶解
mucus 〔 'mjukəs 〕 *n.* 痰；黏液【痰的另一個說法是 phlegm 〔 flɛm 〕】
ginger⁴ 〔 'dʒɪndʒɚ 〕 *n.* 薑
kumquat 〔 'kʌm,kwɑt 〕 *n.* 金桔
lemonade² 〔,lɛmə'ned 〕 *n.* 檸檬水
duck¹ 〔 dʌk 〕 *n.* 鴨子　　meat¹ 〔 mit 〕 *n.* 肉
jellyfish 〔 'dʒɛlɪ,fɪʃ 〕 *n.* 水母；海蜇；海蜇皮

lemonade

5. Eat Healthy

句意相關	*Want to sleep well?*	想要睡得好嗎？
	Cure your insomnia?	想要治療失眠嗎？
	These foods will help.	這些食物會有幫助。

字首都是 S	Soybean milk.	都有 Soy	豆漿。
	Soy products.		豆類製品。
	Sunflower seeds.		葵花子。

都有 s	Shellfish.	貝類。
	Saury.	秋刀魚。
	Brown sugar and Job's tears.	黑糖和薏仁。

**

cure² 〔 kjʊr 〕 v. 治療

insomnia 〔 ɪn'sɑmnɪə 〕 n. 失眠

insomnia

soybean² 〔'sɔɪ,bin 〕 n. 黃豆　　***soybean milk*** 豆漿

soy 〔 sɔɪ 〕 n. 黃豆　　product³ 〔'prɑdəkt 〕 n. 產品

sunflower 〔'sʌn,flaʊɚ 〕 n. 向日葵　　seed¹ 〔 sid 〕 n. 種子

shellfish 〔'ʃɛl,fɪʃ 〕 n. 貝類　　saury 〔'sɔrɪ 〕 n. 秋刀魚

brown¹ 〔 braʊn 〕 adj. 棕色的　　sugar¹ 〔'ʃʊgɚ 〕 n. 糖

brown sugar 黑糖　　tear² 〔 tɪr 〕 n. 眼淚

Job's tear (薏仁) 字面的意思是 Job 的眼淚，
　　Job (約伯) 是聖經中希伯來之族長，地位崇
　　高，表示薏仁是很珍貴的東西。

Job's tear

5. Eat Healthy

4. Avoid flatulent foods.

不要吃易脹氣食物。

Burp after meals?	用完餐之後會打嗝嗎？
Have a stomachache?	會胃痛嗎？
Avoid these foods.	要避免這些食物。

字首都是C { Coffee. 字首是Co } / Cola. / Chestnuts.

咖啡。	
可樂。	
栗子。	

字首是C { Cashews and chewing gum. / Chicken nuggets and beer. / Sodas and broad beans.

腰果和口香糖。
雞塊和啤酒。
汽水和蠶豆。

** ————————————

flatulent〔'flætʃələnt〕*adj.* 易脹氣的   burp〔bɝp〕*v.* 打嗝
meal²〔mil〕*n.* 一餐   stomachache〔'stʌmək,ek〕*n.* 胃痛
avoid²〔ə'vɔɪd〕*v.* 避免   coffee¹〔'kɔfɪ〕*n.* 咖啡
cola¹〔'kolə〕*n.* 可樂   chestnut⁵〔'tʃɛst,nʌt〕*n.* 栗子
cashew〔'kæʃu〕*n.* 腰果   chewing gum〔'tʃuɪŋ ,gʌm〕*n.* 口香糖
chicken nugget〔'tʃɪkɪn 'nʌgɪt〕*n.* 雞塊   beer²〔bɪr〕*n.* 啤酒
soda¹〔'sodə〕*n.* 汽水   broad bean〔'brɔd ,bin〕*n.* 蠶豆

5. Eat Healthy

字首都是 P	*Avoid peas*.	要避免吃碗豆。
	Pecans.	美洲山核桃。
	Pistachios.	開心果。

字首是 P	Pepper.	胡椒粉。
	Pig's blood cake.	豬血糕。
	Scallion pancake.	蔥油餅。

都有 cake

都有 nuts	Donuts.	甜甜圈。
	Walnuts.	核桃。
	Macadamia nuts.	夏威夷豆。

** ———————

pea³ 〔 pi 〕 *n.* 碗豆

pecan 〔 pɪˋkɑn 〕 *n.* 美洲山核桃

pistachio 〔 pɪsˋtɑʃɪ,o 〕 *n.* 開心果

pepper² 〔ˋpɛpɚ 〕 *n.* 胡椒（粉）　　pig¹ 〔 pɪg 〕 *n.* 豬

blood¹ 〔 blʌd 〕 *n.* 血　　scallion 〔ˋskæljən 〕 *n.* 青蔥

pancake³ 〔ˋpæn,kek 〕 *n.* 鬆餅

donut² 〔ˋdonət 〕 *n.* 甜甜圈

walnut⁴ 〔ˋwɔlnət 〕 *n.* 核桃

macadamia nut 〔,mækəˋdemɪə ˋnʌt 〕 *n.* 夏威夷豆

pea

walnut

5. Eat Healthy

	Have deflatulent foods *like honey water.*	都有 water	要吃消脹氣的食物，像是蜂蜜水。
都有 Coconut	Coconut water.		椰子水。
	Coconut flesh.		椰子肉。

都有 tea	Black tea.	紅茶。
	Oolong tea.	烏龍茶。
	Pu-erh tea.	普洱茶。

Kimchi.	韓國泡菜。
Pineapple.	鳳梨。
Avocado.	酪梨。

** ————————————————

have¹ [hæv] *v.* 吃；喝
deflatulent [dɪˋflætʃələnt] *adj.* 消脹氣的
honey² [ˋhʌnɪ] *n.* 蜂蜜　　coconut³ [ˋkokənət] *n.* 椰子
flesh³ [flɛʃ] *n.* (果) 肉　　***black tea*** 紅茶
oolong tea [ˋulɔŋ ˏti] *n.* 烏龍茶
Pu-erh tea [ˋpuɝ ˏti] *n.* 普洱茶
kimchi [ˋkɪmtʃi] *n.* 韓國泡菜
pineapple² [ˋpaɪnˏæpl̩] *n.* 鳳梨
avocado [ˏævəˋkɑdo] *n.* 酪梨

coconut

pineapple　　avocado

1-1〜4-3【背景説明】

這篇演講稿説出來很令人震撼,幫助了別人,也幫助了自己,時時警惕自己,吃東西要小心。第一回講到 *Choose wisely.*(要聰明地選擇。)

Eat *according to your nature.*(要按照你的體質吃東西。)人的體質有兩種,一種是寒性體質(cold-natured body),另一種是熱性體質(hot-natured body)。如果你常常怕冷,是屬於寒性體質,需要吃熱性食物,如棗子(date)、榴槤(durian)、杏仁(almond)、龍眼(longan)、荔枝(lichee)、櫻桃(cherry)等。如果你是熱性體質,就不能吃這些熱性的食物,更不能吃牛肉、狗肉、羊肉等。

第二回告訴你,不要吃有毒的食物。(Avoid toxic foods.)如酒類(alcohol)、動物内臟(animal organs)、人工甜味劑(artificial sweeteners)等。吃了有毒的食物,會便祕、口乾、懶洋洋,此時要吃排毒食物(detox foods),如綠花椰菜(broccoli)、花椰菜(cauliflower)、竹筍(bamboo shoots)、蘆筍(asparagus)等。要減肥(lose weight),就要吃鱈魚(cod)、玉米(corn)、蛤蜊(clam)、大蒜(garlic)、綠茶(green tea)等。

第三回講到要增強免疫力(Strengthen your immune system.)所謂「免疫力」就是「抵抗力」。如果你常感冒、容易生病,就要吃螃蟹(crab)、乳酪(cheese)、優格(yogurt)、蝦子(shrimp)、墨魚(squid)等。如果你常咳嗽,就要吃鴨肉(duck meat)、鴨蛋(duck egg)、海蜇皮(jellyfish)等。睡覺睡不好、失眠,只要喝豆漿(soybean milk)、吃豆類製品(soy products)等,就可以改善。

第四回講到不要吃易脹氣食物。(Avoid flatulent foods.)如咖啡(coffee)、可樂(cola)、栗子(chestnut)等。如果有脹氣,就可以喝蜂蜜水(honey water)、椰子水(coconut water)、吃椰子肉(coconut flesh)、喝紅茶(black tea)、烏龍茶(oolong tea)、普洱茶(Pu-erh tea)等。韓國泡菜(kimchi)雖然是醃漬品,卻很有益健康。

【Eat Healthy 結尾語】

句意連貫
All done. 我全部說完了。
Now you know. 現在你們知道了。
Time to change. 是該改變的時候了。

都有 Eat
Eat natural. 要吃天然的食物。
Eat for nutrition.
要為了營養而吃東西。
Make smart choices.
要做聰明的選擇。

都有 No more
No more junk food.
不要再吃垃圾食物。
No more looking fat.
不要再看起來肥胖。

呼應主題 ←You are what you eat.
你吃什麼，就會像什麼。

如何吃得健康：

1. 依照體質吃東西，寒性體質要吃熱性食物。
2. 不要吃有毒的食物，味精和速食麵最可怕。
   要吃排毒食物，和能促進新陳代謝的食物。
3. 要吃能增強抵抗力的食物，避免生病。
4. 不要吃易脹氣食物。

5. Eat Healthy

Eat Healthy 結尾語【背景説明】

All done.（我全部說完了。）（= *I'm all done.*）要當成慣用句來看。*Now you know.*（現在你們知道了。）可加長爲：*Now you know* how to eat healthy.（現在你們知道如何吃得健康了。）*Time to change.*（是該改變的時候了。）可説成：It's *time to change* how you eat.（該是你改變飲食方法的時候了。）

Eat natural.（要吃天然的食物。）（= *Eat natural foods.*）*Eat for nutrition.*（要爲了營養而吃東西。）可加長爲：*Eat for nutrition* to stay healthy.（爲了營養而吃東西，以保持身體健康。）*Make smart choices.*（要做聰明的選擇。）可加長爲：*Make smart choices* when eating.（吃東西的時候，要做聰明的選擇。）

No more junk food.（不要再吃垃圾食物。）可加上一句：Start eating vegetables.（要開始吃蔬菜。）*No more looking fat.*（不要再看起來肥胖。）可加長爲：*No more looking fat.* You will look great.（不要再看起來肥胖。你會看起來很棒。）*You are what you eat.*（你吃什麼，就會像什麼。）可加長爲：*You are what you eat,* so eat healthy.（你吃什麼，就會像什麼，所以要吃得健康。）

要如何背這篇演講？

開場白 【9句】

1. *Choose wisely*.
   （要聰明地選擇。）
   - ① hot-natured foods　熱性食物【9句】
   - ② cold-natured foods (I)　寒性食物【9句】
   - ③ cold-natured foods (II)　寒性食物【9句】

2. *Avoid toxic foods*.
   （不要吃有毒的食物。）
   - ① toxic foods　有毒的食物【9句】
   - ② detox foods　排毒食物【9句】
   - ③ boost metabolism　促進新陳代謝【9句】

   有毒→排毒→促進新陳代謝
   吃了不好的食物，未轉換成能量，就會胖，所以要吃促進新陳代謝的食物，如 cod（鱈魚）、corn（玉米）、clam（蛤蜊）等。

3. *Strengthen your immune system*.（要增強免疫力。）
   - ① 增強免疫力的食物【9句】
   - ② 止咳化痰的食物【9句】
   - ③ 幫助睡眠的食物【9句】 　 ｝免疫力不足

4. *Avoid flatulent foods*.（不要吃易脹氣食物。）
   - ① flatulent foods (I)　易脹氣食物【9句】
   - ② flatulent foods (II)　易脹氣食物【9句】
   - ③ deflatulent foods　消脹氣食物【9句】

結尾語 【9句】

5. Eat Healthy

5. *Eat Healthy*

有男女兩種錄音

Edward　　Stephanie

【開場白】

Perfect. 太完美了。
How nice! 眞好！
You're here! 你們都在這裡！

I have a message. 我有一個訊息。
It's "Eat Healthy".
那就是「要吃得健康」。
Eat right. 要吃得正確。

Live longer. 要活得更久。
Live better. 要活得更好。
Let's begin. 我們開始吧。

1. *Choose wisely.*

Eat according to your nature.
要按照你的體質吃東西。
If you often feel cold, that
　means you have a cold-
　natured body. 如果你常覺得冷，
那就表示你有寒性體質。
You must eat hot-natured foods
　to warm you up.
你必須吃熱性食物使你變得溫暖。

These include dates.
這些食物包括棗子。
Durians. 榴槤。
Almonds. 杏仁。

Longans and lichees. 龍眼和荔枝。
Cherries and peaches.
櫻桃和桃子。
Guavas and olives. 番石榴和橄欖。

**If you often feel hot, you have a
　hot-natured body.**
如果你常覺得熱，你就有熱性體質。
You have to eat cold-natured
　foods. 你必須吃寒性食物。
They'll lower your body heat.
它們會降低你身體的熱。

They include pears. 它們包括梨子。
Pomelos. 柚子。
Persimmons. 柿子。

Plums and melons. 李子和香瓜。
Watermelons and strawberries.
西瓜和草莓。
Mulberries and bananas.
桑椹和香蕉。

Eat starfruit. 要吃楊桃。
Grapefruit. 葡萄柚。
Dragon fruit. 火龍果。

Tomatoes. 蕃茄。
Tangerines. 橘子。
Kiwis. 奇異果。

Loquats. 枇杷。
Mangosteens. 山竹。
Wax apples. 蓮霧。

5. Eat Healthy

2. *Avoid toxic foods*.

Feel lazy? 覺得很懶散？
Sluggish? 覺得懶洋洋的？
Avoid toxic foods.
不要吃有毒的食物。

No alcohol. 不要喝酒。
Animal organs. 不要吃動物內臟。
Artificial sweeteners.
不要吃人工甜味劑。

Barbecue or fat.
不要吃燒烤或肥肉。
Fried foods or MSG.
不要吃油炸食品或味精。
Instant noodles or pickled
products. 不要吃速食麵或醃漬品。

Have constipation? 會便秘嗎？
Bad breath? 會口臭嗎？
Eat detox foods. 要吃排毒食物。

Like broccoli. 像是綠花椰菜。
Cauliflower. 花椰菜。
Bamboo shoots. 竹筍。

Asparagus. 蘆筍。
Brown rice and seaweed.
糙米和海帶。
Wood ear and sweet potato
leaves. 木耳和地瓜葉。

Want to lose weight? 想要減重嗎？
Burn calories? 想要燃燒卡路里嗎？
Eat foods that boost metabolism.
要吃能促進新陳代謝的食物。

Try cod. 要試試鱈魚。
Corn. 玉米。
Clams. 蛤蜊。

Garlic. 大蒜。
Green tea. 綠茶。
Pumpkin seeds. 南瓜子。

3. *Strengthen your immune system*.

Do you often catch colds?
你常感冒嗎？
Are you vulnerable to illness?
你容易生病嗎？
Eat these foods to improve your
immune system.
要吃這些食物來改善你的免疫系統。

Crab. 螃蟹。
Cheese. 乳酪。
Yogurt. 優格。

Shrimp and squid. 蝦子和墨魚。
Tuna and bell pepper. 鮪魚和彩椒。
Bitter squash and pine nuts.
苦瓜和松子。

Want to relieve your cough?
想要緩解咳嗽嗎？
Dissolve mucus? 想要化痰嗎？
Eat these. 就吃這些食物。

Ginger. 薑。
Kumquats. 金桔。
Lemonade. 檸檬水。

Duck meat. 鴨肉。
Duck eggs. 鴨蛋。
Jellyfish. 海蜇皮。

Want to sleep well? 想要睡得好嗎？
Cure your insomnia?
想要治療失眠嗎？
These foods will help.
這些食物會有幫助。

Soybean milk. 豆漿。
Soy products. 豆類製品。
Sunflower seeds. 葵花子。

Shellfish 貝類。
Saury. 秋刀魚。
Brown sugar and Job's tears.
黑糖和薏仁。

4. Avoid flatulent foods.

Burp after meals?
用完餐之後會打嗝嗎？
Have a stomachache? 會胃痛嗎？
Avoid these foods.
要避免這些食物。

Coffee. 咖啡。
Cola. 可樂。
Chestnuts. 栗子。

Cashews and chewing gum.
腰果和口香糖。
Chicken nuggets and beer.
雞塊和啤酒。
Sodas and broad beans.
汽水和蠶豆。

Avoid peas. 要避免吃豌豆。
Pecans. 美洲山核桃。
Pistachios. 開心果。

Pepper. 胡椒粉。
Pig's blood cake. 豬血糕。
Scallion pancake. 蔥油餅。

Donuts. 甜甜圈。
Walnuts. 核桃。
Macadamia nuts. 夏威夷豆。

***Have deflatulent foods like honey
  water.***
要吃消脹氣的食物，像是蜂蜜水。
Coconut water. 椰子水。
Coconut flesh. 椰子肉。

Black tea. 紅茶。
Oolong tea. 烏龍茶。
Pu-erh tea. 普洱茶。

Kimchi. 韓國泡菜。
Pineapple. 鳳梨。
Avocado. 酪梨。

【結尾語】

All done. 我全部說完了。
Now you know. 現在你們知道了。
Time to change. 是該改變的時候了。

Eat natural. 要吃天然的食物。
Eat for nutrition.
要為了營養而吃東西。
Make smart choices. 要做聰明的選擇。

No more junk food.
不要再吃垃圾食物。
No more looking fat.
不要再看起來肥胖。
You are what you eat.
你吃什麼，就會像什麼。

5. Eat Healthy

【作文範例】

How to Eat Healthy

Here is how to eat healthy. *To begin with*, we must choose wisely and eat according to our nature. If we often feel cold, that means we have a cold-natured body. We must eat hot-natured foods to warm us up. These include dates, durians, and almonds. We must also eat longans, lichees, cherries, peaches, guava, and olives. *On the contrary*, if we often feel hot, we have a hot-natured body. We have to eat cold-natured foods to lower our body heat. Such foods include pears, pomelos, and persimmons. Other foods include plums, melons, watermelons, strawberries, mulberries, and bananas. *In addition*, we must eat starfruit, grapefruit, and dragon fruit. We should eat tomatoes, tangerines, and kiwis to stay healthy. We need to consume loquats, mangosteens, and wax apples.

Secondly, we must avoid toxic foods. When we feel lazy or sluggish, we should avoid toxic foods. We should avoid alcohol, animal organs, and artificial sweeteners. We mustn't eat barbecue, fat, fried foods, MSG, instant noodles, or pickled products. *However*, if we have constipation or bad breath, we should eat detox foods, such as broccoli, cauliflower, and bamboo shoots. Eating asparagus, brown rice, seaweed, wood ear, and sweet potato leaves is also helpful. *Moreover*, we must lose weight, burn calories, and eat foods that boost metabolism. We can try cod, corn, and clams. We can eat foods like garlic, green tea, and pumpkin seeds to lose weight.

Thirdly, we must strengthen our immune system. If we often catch colds or are vulnerable to illness, eating crab, cheese, and yogurt will help. We should devour shrimp, squid, tuna, bell pepper, bitter squash, and pine nuts. *Similarly*, if we want to relieve our cough and dissolve mucus, then we must eat certain foods. Ginger, kumquats, and lemonade will help our cough. Other helpful foods include duck meat, duck eggs, and jellyfish. *Additionally*, if we want to cure our insomnia and sleep well, then these foods will help: soybean milk, soy products, and sunflower seeds. Other foods that will help include shellfish, saury, brown sugar, and Job's tears.

Finally, to eat healthy we must avoid flatulent foods. When we burp after meals and have a stomachache, we must avoid these foods. Foods such as coffee, cola, and chestnuts will distress our stomachs. We should also avoid cashews, chewing gum, chicken nuggets, beer, sodas, and broad beans. *Next*, we need to avoid peas, pecans, and pistachios. We must not eat pepper, pig's blood cake, or scallion pancake. We can't indulge in donuts, walnuts, or macadamia nuts. *Besides*, we should have deflatulent foods like honey water, coconut water, and coconut flesh. We should drink black tea, oolong tea, and Pu-erh tea. We should eat kimchi, pineapple, and avocado. By following this advice, we will all become healthy.

【翻譯】

如何吃得健康

以下就是如何才能吃得健康的方法。首先,我們必須聰明地選擇,並根據我們的體質吃東西。如果我們常覺得冷,那就表示我們有寒性體質。

5. Eat Healthy

我們必須吃熱性食物，使身體變溫暖。這些食物包括棗子、榴槤，和杏仁。我們也必須吃龍眼、荔枝、櫻桃、桃子、番石榴，和橄欖。相反地，如果我們常覺得熱，我們就有熱性體質。我們必須吃寒性食物，來降低身體的熱。這樣的食物包括梨子、柚子，和柿子。其他的食物包括李子、香瓜、西瓜、草莓、桑椹，和香蕉。此外，我們必須吃楊桃、葡萄柚，和火龍果。要保持健康，我們應該吃蕃茄、橘子，和奇異果。我們需要吃枇杷、山竹，和蓮霧。

　　第二，我們必須避免吃有毒的食物。當我們覺得懶散或懶洋洋時，就應該避免有毒的食物。我們應該避免酒類、動物內臟，和人工甜味劑。我們絕不能吃燒烤、肥肉、油炸食品、味精、速食麵，或醃漬品。然而，如果我們會便秘或口臭，就應該吃排毒食物，像是綠花椰菜、花椰菜，以及竹筍。吃蘆筍、糙米、海帶、木耳，和地瓜葉也會有幫助。此外，我們必須減肥、燃燒卡路里，並吃能促進新陳代謝的食物。我們可以嘗試鱈魚、玉米，和蛤蜊。我們可以吃像是大蒜、綠茶，和南瓜子之類的食物來減重。

　　第三，我們必須強化我們的免疫系統。如果我們常感冒或容易生病，吃螃蟹、乳酪，和優格會有幫助。我們應該要多吃蝦子、墨魚、鮪魚、彩椒、苦瓜，和松子。同樣地，如果我們想要止咳化痰，那我們就必須吃某些食物。薑、金桔，和檸檬水會對我們的咳嗽有幫助。其他會有用的食物包括鴨肉、鴨蛋，和海蜇皮。此外，如果我們想要治療失眠並睡得好，那麼這些食物會有幫助：豆漿、豆類製品，以及葵花子。其他會有幫助的食物包括貝類、秋刀魚、黑糖，和薏仁。

　　最後，要吃得健康，我們必須避免易脹氣食物。當我們餐後會打嗝、並且會胃痛時，我們必須避免這些食物。像是咖啡、可樂，和栗子這樣的食物，會使我們胃痛。我們也應該避免腰果、口香糖、雞塊、啤酒、汽水，和蠶豆。其次、我們必須避免豌豆、美洲山核桃，以及開心果。我們絕不能吃胡椒粉、豬血糕，或蔥油餅。我們不能放縱自己吃甜甜圈、核桃，或夏威夷豆。此外，我們應該要吃消脹氣食物，像是蜂蜜水、椰子水，和椰子肉。我們應該喝紅茶、烏龍茶，和普洱茶。我們應該吃韓國泡菜、鳳梨，和酪梨。聽從這些勸告，我們大家都會變得健康。

這是一篇救命的演講

有一次，看到一個年輕人，他口臭很嚴重，臉色很不好，長滿了青春痘。我問他，怕冷還是怕熱？他說他怕熱。我問他平常吃什麼？他說他喜歡吃羊肉、荔枝、棗子、榴槤、龍眼等，這些都是熱性體質不能吃的東西，他都吃了。更可怕的是，他不喜歡喝水，兩天上一次大號。我告訴他說，你能活著真不簡單，趕快回去喝水，吃寒性水果，如梨子（pear）、柚子（pomelo）等。

如果你背了 "Eat Healthy" 這篇演講，平常在吃飯的時候，你就有話可以說。你可以勸別人吃排毒食物（detox foods），就不會便祕（constipation）、口臭（bad breath）。要常吃綠花椰菜（broccoli）、花椰菜（cauliflower）、竹筍（bamboo shoots）、蘆筍（asparagus）、海帶（seaweed）等。你看到一個人有小腹，就可以勸他多吃鱈魚（cod）、玉米（corn）、蛤蜊（clams）、大蒜（garlic）、綠茶（green tea）等，能促進新陳代謝。

感冒是萬病之源，常感冒的人就要吃能增強抵抗力的食物，像螃蟹（crab）、乳酪（cheese）、優格（yogurt）、蝦子（shrimp）、墨魚（squid）、鮪魚（tuna）、彩椒（bell pepper）等，每天背，就會注意到自己的飲食。

我因為常上課，得了慢性咽喉炎，苦不堪言。常咳嗽，到醫院檢查，說有初期氣喘的現象，給了我一大包藥，看了藥單上面的副作用很恐怖，不敢吃。沒想到，晚上咳嗽時，含一片薑，就可以止咳（relieve cough）、化痰（dissolve mucus）。我的體質是寒性，每天早上喝薑茶，改善了很多。最妙的是，有一次去參觀果園，發現金桔（kumquat）是止咳化痰的良藥，以前出產的金桔很酸，現在可以找到可口的金桔，有事沒事隨手吃幾顆，沒想到可以完全治好我的咳嗽。

得到的結論是，食物能治好的，就不要吃藥，比較安全，不會有副作用，藥等於另一種毒藥，「是藥三分毒」，要小心。我有一個親戚，吃了幾個月的止痛藥，腎衰竭，不得不換腎。我敢說，背了這篇演講會救你的生命，照著做，你就不會去醫院了。

劉毅

INDEX · 索引

索
引

索引

索引

索引

本書所有人

姓名 _____ 電話 _____

地址 _____

（如拾獲本書，請通知本人領取，感激不盡。）

「英文一字金⑥激勵演講經」背誦記錄表

口　試　　內　　容	口試通過 日　　期	口試老師 簽　　名
1. How to Succeed 【開場白】 1. You must have a goal. 2. Attend. Attend. Attend. 3. Grab. Grab. Grab. 4. Select a good mentor. 【結尾語】	年 月 日	
2. How to Be Popular 【開場白】 1. Generous. Generous. Generous. 2. Active. Active. Active. 3. Compliment. Compliment. Compliment. 4. Forgive. Forgive. Forgive. 【結尾語】	年 月 日	
3. Good Advice: What Not to Do 【開場白】 1. Never, ever argue. 2. Never, ever get angry. 3. Never, ever be harsh. 4. Never, ever conceal. 【結尾語】	年 月 日	

背誦記錄表

口　　試　　內　　容	口試通過 日　　期	口試老師 簽　　名
4. **How to Be Happy** 【開場白】 1. Exercise. Exercise. Exercise. 2. Advance. Advance. Advance. 3. Wealthy. Wealthy. Wealthy. 4. Feast. Feast. Feast. 【結尾語】	年 月 日	
5. **Eat Healthy** 【開場白】 1. Choose wisely. 2. Avoid toxic foods. 3. Strengthen your immune system. 4. Avoid flatulent foods. 【結尾語】	年 月 日	

「財團法人臺北市一口氣英語教育基金會」
提供 *100* 萬元獎學金，領完為止！

1. 第一篇演講 (How to Succeed)，包括開場白
　 和結尾語，共 126 句，2 分鐘內背完，可得獎
　 金 1,000 元。

2. 每次限背一篇，一天只能口試兩次，錯誤不得超過 1 句以上。

3. 每篇口試完必須默寫，錯誤不得超過 1 字以上。

4. 全部 5 篇通過後，如能在 8 分鐘內一次背完 1 至 5 篇，可再領
　 獎金 1,000 元，不需再默寫。

5. 背誦地點：台北市許昌街 17 號 6F–6【一口氣英語教育基金會】

6. 預約電話：(02) 2389-5212

背誦記錄表

可用手機掃瞄 QR 碼，聽美籍男、女老師的錄音

1.
   Edward   Stephanie

2.
   Edward   Stephanie

3.
   Edward   Stephanie

4.
   Edward   Stephanie

5.
   Edward   Stephanie

英文一字金⑥激勵演講經
One Word English ⑥ Motivational Speeches

售價：280 元

主　　　編 / 劉　毅

發 行 所 / 學習出版有限公司　　☎ (02) 2704-5525

郵 撥 帳 號 / 05127272 學習出版社帳戶

登 記 證 / 局版台業 2179 號

印 刷 所 / 裕強彩色印刷有限公司

台 北 門 市 / 台北市許昌街 10 號 2F　　☎ (02) 2331-4060

台灣總經銷 / 紅螞蟻圖書有限公司　　☎ (02) 2795-3656

本公司網址　www.learnbook.com.tw

電 子 郵 件　learnbook@learnbook.com.tw

2019 年 10 月 1 日初版

4713269383369

這本書不只是在教你英文

　　書中第三篇是Good Advice: What Not to Do（好的建議：不應該做的事）。

1. *Never, ever argue.*（絕對不要爭吵。）
   就讓你省去多少煩惱！

2. *Never, ever get angry.*（絕對不要生氣。）
   人難免都會生氣，當你每天背演講的時候，就會改變自己的個性，不生氣對自己的健康太有幫助了。

3. *Never, ever be harsh.*（絕對不要太嚴厲。）
   平常擺個臭臉，自己吃大虧。

4. *Never, ever conceal.*（絕對不要隱瞞。）
   隱瞞是最可怕的事。以前有個老師未婚生子，很怕別人知道，我叫她公開，把孩子帶到補習班，她豁然開朗，一下子年輕了五歲，隱瞞使人害怕。

第四篇是How to Be Happy（如何快樂）。英文諺語說：Laughter is the best medicine.（笑是最好的藥。）如果你快樂，就不會生病。經過統計，大部份的疾病都是不快樂引起的。快樂的方法是：Exercise. Exercise. Exercise. 這麼簡單。Advance. Advance. Advance. 進步、成長是讓人最快樂的事。多一個朋友，是快樂的事；做一件善事，也能讓你快樂；和朋友聚會、旅行，都會使人快樂。你每天背Exercise. Exercise. Exercise. 你自然就會去運動。道理和方法大家都知道，為什麼沒做到呢？因為沒有常常背、常常唸。我自從背了「英文演講一字金」以後，像是重生，每天快樂，充滿希望。

第五篇演講Eat Healthy（如何吃得健康）最重要。我們每天吃了有毒的食物（toxic foods），竟然不知道！像酒（alcohol）、動物內臟（animal organs）、味精（MSG）、速食麵（instant noodles）、醃漬品（pickled products），都會使你便祕、口臭、懶散。要多吃排毒食物（detox foods）。有人常生病，就要吃增強免疫力的食物。咳嗽就要吃止咳化痰的食物，食物治百病。背了這篇演講稿，每次吃飯的時候，你就可以講這些道理。如你看到螃蟹（crab），你就可以說：Crab. Cheese. Yogurt. 可增強抵抗力。你看到某人咳嗽，就可勸他吃止咳三寶：Ginger.（薑。）Kumquats.（金桔。）Lemonade.（檸檬水。）

ginger

kumquat

lemonade

我們不會說英文，反倒是好事。藉著學英文，增加我們的知識，只有好東西、對自己有益的，才會想要背。「英文演講一字金」你會越背越喜歡背。小孩三歲半開始學說話時，就可以背了，不需要教，媽媽對著小孩背，小孩自然而然就學會。

　　熟背五篇演講稿，換來一生的幸福，能夠心想事成。這種好方法一定要傳出去，讓大家都知道學英文這麼簡單。我們一起來解救受苦受難學英文的人。

劉毅